Conoce este árbol

Este árbol se encuentra, comúnmente, a lo largo de las carreteras y las playas. En Puerto Rico, se halla especialmente en los terrenos arenosos y en las dunas. Sin embargo, se ha cultivado en otros sitios. También, se encuentra en las islas de Mona, Vieques, Santa Cruz, Santo Tomás, Tortola y Virgen Gorda.

Este árbol es un **almendro** y su nombre científico es *Terminalia catappa*. Puede alcanzar hasta los ciencuenta pies de altura y dos pies de diámetro en el tronco. Tiene muchas flores pequeñas de un blanco verdoso. Su fruto es ovalado, ligeramente aplanado y verdoso, y contiene una semilla o nuez. El árbol es de hoja perenne, excepto en las zonas de mucha sequía. La corteza es gris y se agrieta de forma ligera. La corteza interior es castaño rosado.

Así es tu libro

El libro *Español 5* está organizado en doce capítulos. Todos los capítulos parten de un tema generador, relacionado con los intereses y las experiencias del estudiante, así como el contenido recomendado por el Departamento de Educación de Puerto Rico.

La estructura de cada capítulo

1 Apertura (Lectura de imagen)

El capítulo se inicia con una lectura de imagen que introduce el tema generador y la lectura del capítulo. Tres secciones acompañan esta imagen. La primera, *¡Vamos a hablar!*, permite que el estudiante exprese su conocimiento sobre algún elemento de la imagen y lo lleva a descubrir el propósito de la lectura. La segunda, *En este capítulo…*, le presenta al estudiante los conceptos y destrezas que se estudiarán en el capítulo. Mientras, la tercera, *Ventana al verde*, lleva al estudiante a reflexionar acerca del ambiente.

2 Sendas de lectura (Texto literario)

Cada capítulo contiene un texto de literatura infantil. Estos textos muestran diferentes géneros literarios, como el género narrativo (cuentos, leyendas y ensayos) y el género lírico (poemas). El texto literario desarrolla el tema del capítulo, a la vez que se presta para la lectura individual y grupal, y para la comprensión lectora.

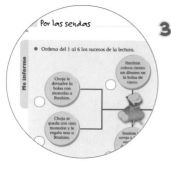

3 Por las sendas (Comprensión lectora)

Luego de leer el texto del capítulo, el estudiante tendrá la oportunidad de pasar por un proceso de análisis y crítica del texto. El proceso consiste en una serie de actividades diseñadas para desarrollar las destrezas fundamentales de la comprensión lectora. Además, dentro de esta sección, se incluye una actividad que destaca y fomenta las destrezas de educación cívica y ética, titulada *Doy lo mejor de mí*.

4 Ramillete de palabras (Vocabulario y razonamiento verbal)

Ramillete de palabras es una sección de dos páginas, en las cuales se trabajan las destrezas relacionadas con la adquisición de vocabulario mediante diferentes claves de reconocimiento: estructural, contextual y semántica. La última sección, llamada *Se dice así*, permite al estudiante evaluar la forma correcta del vocabulario en su uso oral.

5 Espigas y palabras (Ortografía)

En esta sección, se presentan las destrezas y los conceptos ortográficos determinados para el quinto grado, según el Departamento de Educación de Puerto Rico. La última actividad, llamada *Se escribe así*, ofrece al estudiante información adicional acerca del concepto presentado, al mismo tiempo que le permite aplicar las destrezas aprendidas a un contexto cotidiano.

Español 5

El libro *Español 5*, del **Proyecto Yabisí**, es una obra colectiva concebida, diseñada y creada en Ediciones Santillana, Inc., por el siguiente equipo:

Directora editorial:
Zaida O. Alameda Alequín

Editora:
María E. Villanueva Torres

Editora asistente:
Mercedes Z. Carrillo Méndez

Colaboradoras:
Jéssica J. Collazo Sueiras
Dra. Isabel Delgado de Laborde
Isabel Díaz Torres
Jessenia Pagán Marrero
Andrea Tirillo Parunov

Correctora de estilo:
Patria B. Rivera Reyes

Correctoras asistentes:
Isabel Batteria Parera
Esther I. Rodríguez Miranda

Supervisora lingüística:
Dra. Rosario Núñez de Ortega

Santillana

Español 5
Proyecto Yabisí

Padres y maestros:

Con el objetivo de ayudar a los niños puertorriqueños a desarrollar sus capacidades comunicativas y a formar una personalidad integral, hemos elaborado el libro *Español 6*, del **Proyecto Yabisí**. Este libro trabaja las destrezas lingüísticas de lectura, de escritura y de expresión oral, según los estándares y las expectativas del Departamento de Educación de Puerto Rico, para el quinto grado.

Nuestro proyecto editorial se fundamenta en dos temas de gran importancia para el mejoramiento de la enseñanza en Puerto Rico. Estos son: la educación ambiental y la educación cívica y ética.

Al desarrollar el tema de la **educación ambiental** en nuestros libros, queremos concienciar a los niños sobre la relación con su entorno y sobre los problemas ambientales que afectan a la Tierra. El eje de la educación ambiental está presente en la *Ventana al verde* y en *Mi ambiente*, espacios en los cuales brindamos información acerca de la geografía, la flora, la fauna o los problemas ambientales que afectan a Puerto Rico y el Planeta.

El Fideicomiso de Conservación de Puerto Rico se une a nuestro esfuerzo por impulsar estrategias nuevas para el desarrollo de la educación ambiental. Esta importante institución tiene como fin proteger nuestros recursos naturales. Además, ha contribuido por muchos años en el campo de la educación ambiental.

La **educación cívica y ética**, indispensable para la formación íntegra de los alumnos, se expone a lo largo de todo el libro a través de la sección titulada *Doy lo mejor de mí*. En dicha sección, los estudiantes se enfrentarán a diferentes situaciones en las que aplicarán lo que hayan aprendido acerca de las normas que regulan la vida social y la formación de valores que le permiten al individuo integrarse a la sociedad y participar en su mejoramiento. Los iconos que identifican esta sección son:

Como parte de nuestra propuesta de enseñanza, hemos incluido, en cada capítulo, un taller para trabajar el desarrollo del pensamiento crítico. Se ha creado una serie de actividades que permite a los estudiantes impulsar y afinar sus destrezas de pensamiento. Estas actividades se han recopilado en la sección *¡A pensar!*, ubicada en la parte final de cada capítulo.

Esperamos que este esfuerzo pedagógico y editorial contribuya a la enseñanza de nuestros niños y que los ayude a desarrollarse como estudiantes y como individuos.

Las editoras

Nota importante: De acuerdo con las más recientes disposiciones de la Real Academia de la Lengua Española, publicadas en el *Diccionario panhispánico de dudas*, los pronombres demostrativos (*este, ese, aquel* y sus respectivos femeninos y plurales) no se acentúan, excepto en caso de ambigüedad. Tampoco se acentúa el adverbio solo (solamente) a no ser que haya riesgo de confusión (poco frecuente).

Espigas y palabras (Ortografía) 6

En esta sección, se presentan las destrezas y los conceptos ortográficos determinados para el quinto grado, según el Departamento de Educación de Puerto Rico. La última actividad, llamada *Se escribe así*, ofrece al estudiante información adicional acerca del concepto presentado, al mismo tiempo que le permite aplicar las destrezas aprendidas a un contexto cotidiano.

7 Flores de escritura (Redacción)

En esta sección, de dos páginas de extensión, se presentan modelos de varios géneros literarios y se explican sus características particulares. Finalmente, en la actividad *Ahora, lo hago yo*, se le ofrece al estudiante pasos guía para redactar textos que correspondan con el género estudiado.

Espacio de tertulia (Expresión oral) 8

Espacio de tertulia es una sección de una página, en la que se trabaja con los conceptos y las destrezas de la comunicación oral recomendadas para el quinto grado. Después de presentar el concepto, las actividades *Preparación* y *Presentación* le permiten al estudiante aplicar diversas técnicas de la comunicación oral. La sección culmina con una actividad de autoevaluación que le presenta al estudiante los criterios que debe tomar en consideración al evaluar su presentación oral.

9 Punto de encuentro

En esta sección, se establece una conexión curricular con alguna de las demás materias básicas: Ciencias, Estudios Sociales, Matemáticas, Bellas Artes, Educación Física y Tecnología. La sección comienza con un texto y culmina con tres ejercicios, diseñados para que el estudiante haga el enlace entre las materias y reflexione sobre lo aprendido.

¡A pensar! (Destrezas de pensamiento) 10

En esta sección, se trabajan las seis destrezas de pensamiento planteadas en la *Taxonomía de Bloom*. Se ha acrecentado una serie de actividades sistemáticas que le permite al estudiante desarrollar y afinar sus destrezas de pensamiento. Las destrezas se trabajan en torno a un tema de las artes. Así, pretendemos que el estudiante pueda mejorar su capacidad para desarrollar un pensamiento lógico, coherente y crítico. La sección culmina con el segmento *Mi ambiente*, en el que se conecta el arte con un tema ambiental.

11 Sé que aprendí (Assessment)

Esta sección consta de una doble página que, a lo largo de una serie de ejercicios de *assessment*, refuerza los conceptos y las destrezas fundamentales del capítulo. De esta forma, los estudiantes podrán demostrar lo aprendido mediante la realización de actividades de avalúo.

Índice

Aceptándonos

- ¿Dónde están el caballo y el asno? ¿Qué hacen?

- ¿Cómo son las imágenes que se reflejan en esos espejos?

- De todas las imágenes reflejadas, ¿cuál es la que verdaderamente representa cómo se ven ambos animales?

- ¿Alguna vez has deseado ser otra persona?

EN ESTE CAPÍTULO...

✓ aprenderás a utilizar el diccionario en línea.

✓ identificarás y escribirás oraciones bimembres y unimembres.

✓ aplicarás correctamente las reglas de acentuación.

✓ conocerás las características de una fábula tradicional.

✓ aprenderás a escribir y a narrar una fábula tradicional.

VENTANA AL VERDE

- Reflexiona:

  Hace muchos años, el asno se usaba como medio de transporte. Imagina que no puedan utilizarse los automóviles y que los asnos vuelvan a usarse para el transporte.

  - ¿Qué efecto tendría ese cambio en el medio ambiente?

9

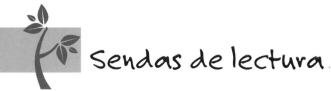

El caballo y el asno

Hace mucho tiempo, en un lejano valle rodeado de montañas, había una granja en la que todos los animales vivían felices. Todos estaban contentos y complacidos con sus vidas, menos el asno. El pobre burro no encontraba ninguna satisfacción en su trabajo y se sentía muy desafortunado.

—¡Qué desgracia la mía, haber nacido asno! —se lamentaba.

Lo cierto es que las jornadas del **jumento** resultaban agotadoras. Si había que ir a trabajar en el mercado, se levantaba casi de noche y, con las **alforjas** cargadas de **hortalizas**, partía hacia el pueblo con el granjero. Allí pasaba el día de pie, entre el bullicio, espantando moscas. Al anochecer, agotado, regresaba a la granja cargando con su amo.

- **jumento**: asno, burro.
- **alforjas**: tiras de tela con dos bolsas en sus extremos, que se ponen al hombro o al lomo de un animal y que sirven para transportar carga.
- **hortalizas**: verduras y demás plantas comestibles, que se cultivan en las huertas.

"¡Tanto trabajo por un miserable puñado de alfalfa!", pensaba para sus adentros.

Los días que no había mercado, las obligaciones del asno variaban: unas veces tenía que ir al campo y tirar del arado; otras veces, transportar leña desde el monte hasta la granja; otras, dar vueltas a la piedra del molino para moler el grano… Pero, hiciera lo que hiciera, el animal nunca estaba satisfecho y cada vez se encontraba más deprimido.

Un día, mientras el burro trabajaba en los campos de su amo, oyó un saludo.

—¡Buenos días!

El burro levantó la cabeza, sorprendido, y vio un enorme caballo. Se trataba de un **ejemplar** muy hermoso: tenía el pelo brillante y las **crines** bien peinadas; sus guarniciones eran de cuero auténtico y los **estribos** relucían como si fueran de plata. ¡Jamás había visto a nadie tan elegante!

- **ejemplar**: cada uno de los individuos de una especie o de un género.
- **crines**: conjuntos de pelos duros, que tienen algunos animales en la parte superior del cuello y de la cola.
- **estribos**: pieza que cuelga a ambos lados de la silla de montar para apoyar los pies.

—¡Hola! ¿Qui...quién eres? —preguntó el burro tímidamente.

—Pues, un caballo.

—Pero los caballos que conozco no son tan elegantes —respondió el burro—. ¿A qué te dedicas?

—¿Te refieres a qué hago? —respondió el caballo—. Pues no sé: pasear a mi amo, descansar, comer... ¡Ah! Se me olvidaba: los lunes y los miércoles viene un mozo a cepillarme y una vez a la semana me peinan las crines.

El burro no daba crédito a lo que oía. ¡Le parecía estupendo llevar una vida así! Y aquel caballo parecía no saber lo afortunado que era...

—Pero...¿tú nunca tienes que arrastrar el **arado**? —preguntó el asno.

—¿Qué es un arado? —respondió el caballo, ingenuamente, dando a entender que en su vida había utilizado tal **artilugio**.

El burro siguió interrogándolo con curiosidad:

—¿Y en qué granja vives?

—No vivo en una granja: vivo allí —contestó el caballo, señalando el castillo que se levantaba sobre la colina.

—¿En el castillo? —preguntó el burro, con los ojos abiertos como platos.

—Bueno..., exactamente en las caballerizas del castillo. No es un mal sitio, la verdad.

- **arado**: instrumento de agricultura que, movido por fuerza animal o mecánica, sirve para labrar la tierra abriendo surcos en ella.

- **artilugio**: mecanismo u artefacto, sobre todo si es de cierta complicación. Herramienta de un oficio.

Los animales siguieron conversando un rato. El burro, casi avergonzado, le habló al caballo de su modesta vida. Luego, los dos se despidieron amigablemente. El burro se quedó muy afectado por el encuentro y, desde aquel día, no paró de imaginar y envidiar la vida del caballo.

—¡Seguro que come tres veces al día! ¡Y sin dar ni golpe!

Una tarde, cuando el burro descansaba un rato, después de volver del molino, se oyó un sonido de trompetas. El animal volvió la cabeza hacia el camino y vio un grupo de soldados a caballo. Casi se le escapa un rebuzno de **estupor** cuando reconoció en la **comitiva** a su amigo el caballo. El burro se levantó y gritó:

—¡Eh, caballo! ¿Adónde vas? ¿Te llevan de paseo?

—Vamos a la guerra —respondió el caballo cabizbajo y con un ligero temblor en las pezuñas.

El asno sintió lástima por su amigo.

—¡Que tengas suerte! ¡Y hasta pronto! —le dijo, intentando animarlo.

Luego, la comitiva se perdió entre los árboles y el asno se quedó reflexionando. Por primera vez en su vida, se le vino a la cabeza un pensamiento de satisfacción:

Aún harto de mucho trabajar, asno, y no caballo, me quiero quedar.

Y a partir de ese día, nadie volvió a oír al burro lamentarse de su suerte.

Félix María de Samaniego
(español)
(adaptación)

OTRAS SENDAS...

En "Mucarito y los habitantes del carso", Mucarito quiere limpiar su reputación e invita a todos los habitantes del bosque a una reunión. En este cuento de Zulma Ayes, los lectores conocerán las especies de aves que habitan el área del carso y aclararán dudas sobre sus hábitos y costumbres.

• **estupor**: asombro, pasmo.
• **comitiva**: acompañamiento, gente que va acompañando a alguien.

13

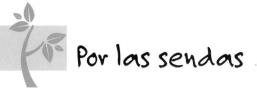

Por las sendas

● Completa la siguiente ficha de lectura:

Ficha de lectura

a. El título de la lectura es _____.

b. La lectura trata sobre _____.

c. El _____ y el _____ son animales.

d. El asno trabaja en el _____.

e. El caballo vive en las caballerizas del _____.

f. Al final de la lectura, el caballo parte hacia _____.

g. El nombre del autor es _____.

● Completa el siguiente organizador gráfico sobre el personaje del asno:

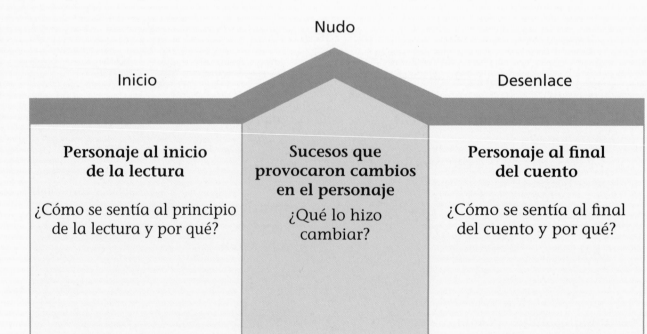

Inicio	Nudo	Desenlace
Personaje al inicio de la lectura	**Sucesos que provocaron cambios en el personaje**	**Personaje al final del cuento**
¿Cómo se sentía al principio de la lectura y por qué?	¿Qué lo hizo cambiar?	¿Cómo se sentía al final del cuento y por qué?

Examino

✓ Compara y contrasta la vida del asno y la del caballo. ¿Cuáles son sus semejanzas y diferencias?

✓ ¿Qué mensaje nos quiere dar el autor?

✓ Reconstruye la lectura y cambia sus personajes de animales a seres humanos. ¿Qué conflicto tendrían y cómo lo resolverían? ¿Habría mucha diferencia entre la vida de un ser humano y la de un animal? ¿Por qué?

EVALÚO Y CUESTIONO

☑ ¿Crees que el asno tuviera razones válidas para quejarse? ¿Por qué?

☑ ¿Fue importante para el asno haber conocido al caballo? Explica.

☑ Si estuvieras en la misma situación del asno, ¿pensarías igual? ¿Por qué?

☑ Si tuvieras que escoger entre tener la vida que llevaba el asno y la del caballo, ¿cuál escogerías? ¿Por qué?

DOY LO MEJOR DE MÍ

Educación para la salud

Camila siempre ha querido ser como su amiga Bianca, quien pertenece a una familia de mucho dinero. Los padres de Camila, aunque ganan poco dinero, trabajan bastante para que no le falte comida y una buena educación. Camila no se siente feliz, ya que no puede viajar y comprar muchos juguetes, como Bianca. A pesar del sacrificio de sus padres, Camila se entristece y quisiera estar en el lugar de su amiga.

● Contesta:

• ¿Qué piensas sobre lo que siente Camila? ¿Valora el sacrificio que hacen sus padres? Explica.

Soy feliz como soy y con lo que tengo.

El diccionario en línea

Diccionario de español   X

http://www.diccionariodeespañol.edu

Escriba la palabra que desea consultar: árbol

árbol.
> 1. m. Planta perenne, de tronco leñoso y elevado, que se ramifica a cierta altura del suelo.

~ de Navidad.
> **1. m. árbol**, natural o artificial, que se decora con luces, adornos y regalos para celebrar la Navidad.

● Contesta:

a. ¿Para qué se usa esta página de Internet?

b. Además de la definición de la palabra *árbol*, ¿qué otra información aparece?

c. ¿Alguna vez has usado un diccionario en línea? ¿Cuál?

d. En los diccionarios impresos, ¿recuerdas haber visto información adicional, además de la definición?

El **diccionario en línea** es una página de Internet en la que podemos buscar las definiciones de las palabras. Los diccionarios en línea son la versión electrónica de los diccionarios impresos. La diferencia entre ambos diccionarios no es tanta. Sin embargo, los diccionarios en línea tienen la ventaja de que se pueden consultar de forma más ágil y compleja. La búsqueda en un diccionario impreso se limita a clasificar la palabra en una lista en orden alfabético. En un diccionario digitalizado, se pueden buscar palabras que se encuentran en el contenido de la definición. Además, los resultados que ofrece el diccionario en línea contienen expresiones comunes y/o frases populares. Aunque hay diccionarios impresos que sí los incluyen, estos, a veces, se ven limitados por el poco espacio con el que cuentan. En cambio, los diccionarios en línea tienen amplio espacio en sus páginas de Internet para incluir todos los usos que se les dan a las palabras.

Para buscar una palabra en el diccionario en línea, debes escribirla en el espacio de búsqueda.

Ejemplo:

✓ *Al buscar la palabra* perro, *en el diccionario en línea, además de sus definiciones, aparece lo siguiente:*

~ **ardero.**

1. m. El que caza ardillas.

~ **caliente.**

1. m. **perro caliente.**

como ~s y gatos.

1. loc. adv. coloq. **como el perro y el gato.**

También, se pueden utilizar los diccionarios en línea como diccionarios inversos, cuando se buscan grupos de palabras en orden alfabético por su terminación. Igualmente, se pueden buscar grupos de palabras que compartan alguna característica, ya sea gramatical, de origen, entre otras. Muchos diccionarios electrónicos son, a la vez, generales y multilingües. La variedad de posibilidades de búsqueda y la rapidez con que proveen los datos convierten este tipo de diccionario de consulta en una herramienta muy útil.

EN MI LIBRETA...

1 Bajo la supervisión de un adulto, busca en Internet cinco diccionarios en línea. Escribe sus direcciones y en qué se especializa cada uno de ellos.

2 Retoma las palabras de vocabulario de la lectura "El caballo y el asno". Luego, busca sus definiciones en un diccionario en línea. No olvides incluir las frases o expresiones que utiliza cada palabra.

• Escoge una de las palabras que tengan dos significados o más y escribe una oración con cada uno.

Ejemplo:

Te escribí dos cartas.

¿Quieres jugar a las cartas?

SE DICE ASÍ...

• Según el diccionario de la Real Academia Española, la palabra *tomate* tiene varias acepciones. Selecciona y, luego, comenta el significado que se usa en Puerto Rico.

a. Juego de naipes.

b. Fruto de la planta tomatera.

c. Riña, pelea.

Espigas del lenguaje

Oraciones unimembres

- Contesta:

   a. Lo que dicen el caballo y el asno, ¿comunica un pensamiento completo? ¿Por qué?

   b. ¿Puedes identificar un sujeto y un predicado en estas expresiones?

   c. ¿Sabes cómo se llama este tipo de oraciones?

Oraciones unimembres

- son una palabra o un grupo de palabras que comunican un mensaje completo.
- no se distinguen ni el sujeto ni el predicado.
- no poseen sujeto.

- Las oraciones unimembres se usan en el habla de todos los días o en textos donde hay diálogos cotidianos.

- Estas oraciones no pueden dividirse en sujeto y predicado.

- Muchas oraciones unimembres son exclamativas. ***Ejemplos:*** *¡Ay! ¡Hola! ¡Feliz cumpleaños!*

- Las oraciones con verbos que se refieren a fenómenos naturales, también, son unimembres, ya que tampoco tienen sujeto. ***Ejemplo:*** *Hace calor por la tarde.*

Oraciones bimembres

Adriana y Carolina están esperándote en el estacionamiento con Mami. Adelántate. Yo llegaré un poco más tarde.

Ana

● Contesta:

a. ¿Cada oración, en el mensaje de texto, expresa una idea completa? ¿Por qué?

b. ¿Son unimembres estas oraciones? ¿Cómo lo sabes?

Oraciones bimembres	
definición:	Siempre tienen sujeto y predicado, pero el sujeto puede estar omitido.
ejemplos:	*sujeto* *predicado* _Adriana y Carolina_ _están esperándote en el estacionamiento con Mami._ *sujeto omitido*, *predicado* _Adelántate._

Estas oraciones no son unimembres, porque tienen sujeto y predicado.

19

En Mi Libreta...

Oraciones unimembres y bimembres

1 Clasifica las siguientes oraciones en unimembres o bimembres.

- ¡Buenas noches!
- Hoy es un lindo día.
- El padre de Hernán arregla la puerta.
- ¡Feliz Navidad!
- La mamá gata tuvo seis gatitos.
- Los padres ayudaron en la actividad de la escuela.
- ¡Auxilio!
- El burro aceptó su trabajo.

- Mario trajo comida.
- ¡Saludos!
- Llueve constantemente.
- Los estudiantes visitaron El Yunque.

2 Identifica el sujeto y el predicado en las oraciones bimembres que acabas de clasificar.

3 Identifica tres oraciones unimembres y tres oraciones bimembres, en la lectura "El caballo y el asno". Luego, cópialas en la libreta y clasifícalas.

> A pesar de que las oraciones unimembres se utilizan en el habla coloquial, las oraciones bimembres son más comunes.

Taller de Gramática

1 Juega con tus compañeros a intercambiar mensajes secretos. Escríbelos en un pedazo de papel. Luego, marca con una "X" violeta si las oraciones de los mensajes que recibes son bimembres. Si son unimembres, márcalas con una "X" anaranjada. Al final, cuenta cuántas oraciones recibiste de cada una. Comparte tus resultados con tus compañeros.

2 Únete a dos compañeros y escriban un diálogo en el cual utilicen oraciones bimembres y oraciones unimembres. Luego, dramatícenlo frente a sus compañeros. Al finalizar, el resto del grupo tendrá que identificar, al menos, cinco oraciones unimembres y cinco oraciones bimembres.

Reglas de acentuación

● Contesta:

• ¿En qué sílaba tienen la mayor fuerza de pronunciación las palabras destacadas en el anuncio?

Ahora sé que...

✓ Si una palabra lleva la fuerza tónica en la última sílaba, es **aguda**. Lleva tilde si termina en **n**, **s** o **vocal**.

Ejemplo: salón

✓ Si tiene la penúltima sílaba tónica, es **llana**. Lleva tilde si termina en una consonante que no sea **n** o **s**.

Ejemplo: fotos

✓ Si tiene la antepenúltima sílaba tónica, es **esdrújula**. Siempre se acentúa.

Ejemplo: sábado

✓ Si tiene la sílaba tónica antes de la antepenúltima, es **sobresdrújula**. Siempre se acentúa.

Ejemplo: gózatelo

En mi libreta...

● Lee el siguiente texto:

El asno se sentó sobre los cómodos cojines. Después de tantas horas de trabajo, al fin tenía un descanso. Y, como siempre, deseó que ese fuera su último día de trabajo.

• Encuentra y escribe dos ejemplos de palabras agudas; dos, de palabras llanas; y dos, de palabras esdrújulas.

SE ESCRIBE ASÍ...

El **acento prosódico** indica la intensidad de una sílaba, al pronunciar una palabra. El **acento ortográfico** corresponde a la escritura y su representación gráfica es por medio de la tilde. Una tilde no solo cambia la pronunciación de una palabra, sino que también cambia su significado.

sabana, sábana

● Busca el significado de esas dos palabras.

El león y el asno presuntuoso

De nuevo se hicieron amigos el ingenuo asno y el león, para salir de caza.

Durante el camino, el asno le presumía al león sobre lo buen cazador que podía ser. El león se reía de la osadía del asno.

—¿De qué te ríes, mi querido amigo? Ya verás cuántas cabras voy a cazar —aseguró el asno.

Llegaron a una cueva donde se refugiaban unas cabras monteses, y el león se quedó a guardar la salida, mientras el asno ingresaba en la cueva pateando y rebuznando con gran fuerza, para hacer salir a las cabras. Fue asombroso todo el esfuerzo que hizo, para tratar de impresionar al león de que era un buen cazador, que se quedó sin fuerzas.

Una vez terminada la acción, salió el asno de la cueva y le preguntó si no le había parecido excelente su actuación, al haber luchado con tanta bravura, para expulsar a las cabras.

—¡Oh sí, soberbia! —contestó el león—. ¡Hasta yo mismo me hubiera asustado si no supiera de quién se trataba!

Si te alabas a ti mismo, serás, simplemente, objeto de la burla, sobre todo, de los que mejor te conocen.

Esopo
(griego)
(adaptación)

La **fábula tradicional** es una obra literaria. Está denominada como una obra didáctica, porque tiene el propósito de transmitir una enseñanza. Es una narración breve que puede estar escrita en verso o en prosa. Tiene los elementos básicos de una narración: personajes, acción, tiempo, espacio y narrador. Los protagonistas son animales, a los cuales se les atribuyen cualidades y comportamientos de los seres humanos. A través de ellos, se reflejan nuestros defectos y virtudes.

La fábula presenta, por medio de una ficción o historia, una lección útil o moral: la moraleja. La moraleja es la enseñanza que se pretende mostrar en la historia. Esta aparece al final de la fábula.

Ahora, lo Hago yo

Me organizo

● Utiliza tu imaginación y redacta una fábula tradicional sobre el tema del capítulo: *Aceptándonos*. Sigue estos pasos:

1 Repasa la fábula que acabas de leer, utilízala como modelo. Luego, escribe las ideas que tengas.

2 Selecciona los personajes y su comportamiento. Luego, desarrolla el problema.

3 Presenta una moraleja, añade una conducta que se deba seguir.

Lo escribo

● Organiza tus ideas en secuencia lógica. Recuerda que la fábula debe ser breve. No olvides que toda narración debe tener un inicio, un nudo y un desenlace.

● Redacta el borrador a partir de las siguientes preguntas:

✓ ¿Dónde se desarrollará la trama?

✓ ¿Qué protagonistas participarán?

✓ ¿Cuál será el consejo o la moraleja?

Me corrijo

● Lee cuidadosamente tu fábula y observa si has cumplido con lo siguiente:

✓ ¿Has incluido en tu escrito algún mensaje, consejo o moraleja?

✓ ¿Has organizado el texto en inicio, nudo y desenlace?

Espacio de tertulia

Narro mi fábula

—¡Buenos días! —les dijo Emilio a sus compañeros—. ¿Escribieron ya la fábula que aprendimos a hacer? ¡Fue muy interesante! Ya finalicé la mía y me gustaría compartirla con ustedes. ¡Se me ocurre una idea! Vamos a leer todas las fábulas. Una vez leídas, podemos tratar de descifrar sus moralejas.

—¡Buena idea! —dijo Marcia—. Hagamos un círculo de lectura. Yo quiero leerla primero. Recuerden que no podrán decir la moraleja hasta el final de la lectura.

Preparación

1 Relee varias veces la fábula que escribiste.

2 Concéntrate en los sucesos de acción, los personajes y las descripciones.

3 Practica frente a un espejo.

4 Observa que tus actuaciones y tus gestos sean adecuados.

Presentación

● Cuenta tu fábula frente a tus compañeros de clase. Recuerda hacer lo siguiente:

✓ Al comenzar, presenta el título de la fábula.

✓ Narra la historia con emoción.

✓ Habla con una voz clara y con una entonación adecuada.

Autoevaluación

✓ ¿Cómo estuvo mi fábula? ❑ Lo hice bien. ❑ Puedo mejorar.

✓ ¿Recordé todo lo que tenía que decir? ❑ Lo hice bien. ❑ Puedo mejorar.

✓ ¿Cómo fue mi narración? ❑ Lo hice bien. ❑ Puedo mejorar.

✓ ¿Hablé con claridad? ❑ Lo hice bien. ❑ Puedo mejorar.

✓ ¿Fue claro el mensaje de mi moraleja? ❑ Lo hice bien. ❑ Puedo mejorar.

Punto de encuentro

Los mamíferos

Los mamíferos son un grupo de animales vertebrados, que se caracterizan por la presencia de glándulas mamarias. De ellas sale la leche que utilizan para alimentar a sus crías. Los mamíferos están cubiertos de pelo, conservan el calor corporal, poseen un esqueleto constituido por un cráneo y una columna vertebral, tienen un sistema nervioso complejo y un corazón dividido en cuatro cámaras. Además, su fecundación es interna y paren sus hijos. Algunos ejemplos de mamíferos son el caballo, el asno, la vaca, el conejo y los seres humanos.

1 Bajo la supervisión de un adulto, busca en el diccionario en línea, de la Real Academia Española (http://www.rae.es), las siguientes palabras:

- vertebrado
- glándula
- cráneo
- esqueleto
- fecundación

2 Acentúa las palabras, según sea necesario.

- corazon
- cuerpo
- mamarias
- glandulas
- mamifero
- crias
- hijos
- conejo
- caballo
- asno
- fecundacion
- camaras

3 Identifica cinco características de los mamíferos. Luego, explica por qué crees que esas características sean importantes en la vida y en el desarrollo de los mamíferos.

¡A pensar!

El origen de la fotografía

La fotografía es el proceso de capturar imágenes y almacenarlas en un material sensible a la luz. Surgió en el 1826, cuando Nicéphore Niepce descubrió que, con el cloruro de plata, se obtenían imágenes en el negativo de los grabados.

Al principio, se utilizaba la cámara oscura. En ella, se proyectaban imágenes por un pequeño agujero, sobre una superficie, y el tamaño de la imagen quedaba reducido.

En 1887, el fotógrafo Eadweard Muybridge fue el primero en registrar, reproducir y proyectar imágenes en movimiento. Esto contribuyó al nacimiento del cine.

COMPRENDER

- Escoge la alternativa correcta.

    a. La fotografía tiene el propósito de:
    - proyectar luz.
    - capturar movimientos.
    - capturar imágenes.

    b. La contribución de Muybridge para la fotografía fue:
    - la cámara oscura.
    - las imágenes en movimiento.
    - la cámara fotográfica.

    c. Eadweard Muybridge contribuyó al nacimiento:
    - de la fotografía digital.
    - del cine.
    - de la cámara oscura.

APLICAR

● Demuestra qué función cumple el uso de la cámara fotográfica en tu vida familiar, social y/o académica. ¿Para qué la has usado, en cada una de esas áreas? Explícalo, en la siguiente tabla:

Uso de la cámara fotográfica		
Mi vida familiar	Mi vida social	Mi vida académica

ANALIZAR

● La fotografía ha constituido un medio de utilidad en el mundo artístico y en las investigaciones científicas. Ofrece ejemplos de cómo se usa la fotografía en ambos campos.

Mi ambiente

El cloruro de plata es un metal que se encuentra en la naturaleza y que está formado por minerales. Es brillante, moldeable y el mejor conductor metálico del calor y de la electricidad. Se descompone por acción de la luz y se utiliza en la fotografía. También, se usa en la Medicina, en la electricidad y en las monedas, entre otros.

Sin embargo, el cloruro de plata es muy escaso. Esto, y sus usos, lo convierten en un recurso natural de gran valor.

Sé que aprendí

1 Lee y recorta una noticia o un artículo de un periódico o de una revista. Subraya las palabras que no conozcas. Luego, bajo la supervisión de un adulto, busca sus significados en el diccionario en línea de la Real Academia Española (http://www.rae.es). Copia, en tu libreta, las palabras que buscaste y sus definiciones.

2 Señala, en el siguiente diagrama, las semejanzas y las diferencias entre las oraciones unimembres y las oraciones bimembres.

Oraciones unimembres   **Oraciones bimembres**

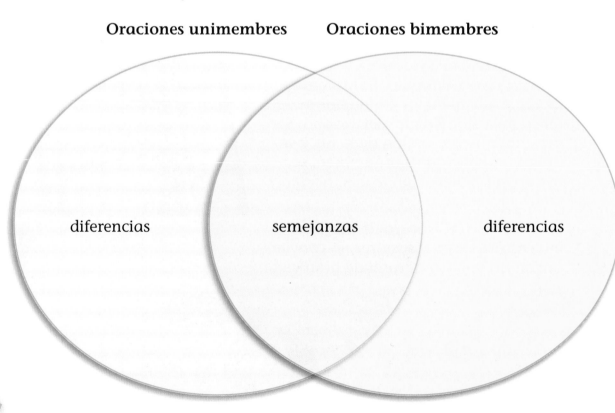

diferencias   semejanzas   diferencias

3 Escribe el diálogo para cada personaje. Utiliza oraciones unimembres y bimembres.

4 Lee las palabras. Luego, sigue los pasos.

> aceite, amaneció, calabaza, conexión, escándalo, figura, imagínatelo, jamón, marco, piénsalo, recolecta, recuérdamelo

a. Busca cuatro hojas de papel de construcción (amarillo, verde, rosado y rojo), una hoja de papel en blanco y tijeras.

b. Identifica cada papel con cada uno de los siguientes títulos: agudas, llanas, esdrújulas y sobresdrújulas.

c. Escribe en la hoja de papel en blanco las palabras del recuadro.

d. Recorta las palabras. Según las reglas de acentuación, clasifícalas y pégalas en el papel de construcción correspondiente. Luego, explica en tu libreta por qué esas palabras pertenecen a esa clasificación y por qué unas llevan acento y otras, no.

DIARIO REFLEXIVO

● Contesta:

a. ¿Encuentras que el diccionario en línea tiene más ventajas que el diccionario impreso? ¿Por qué?

b. ¿Cuál es la diferencia entre una oración unimembre y una oración bimembre?

c. ¿Se te hizo difícil la acentuación ortográfica? Explica.

d. ¿Qué temas, de los discutidos en el capítulo, puedes aplicarlos a tu vida diaria?

Mundo de aventuras

- ¿Cuál es la profesión de ambos jóvenes?
- ¿Dónde están ellos? ¿Qué hay en ese lugar?
- ¿Qué objetos utilizan los dos jóvenes para realizar su trabajo?
- ¿Alguna vez has querido ser un agente secreto para recuperar algo que has perdido?

En este capítulo...

✓ conocerás más sobre los sinónimos y los antónimos.

✓ reconocerás la actitud del hablante por medio de las oraciones interrogativas, exclamativas, enunciativas, desiderativas, exhortativas y dubitativas.

✓ aprenderás a usar la letra mayúscula en las iniciales, las abreviaturas y los títulos de libros.

✓ reconocerás las características del texto descriptivo.

✓ escribirás un texto descriptivo.

✓ presentarás oralmente tu texto descriptivo.

Ventana al verde

- Opina:

  Los diseños de los museos verdes buscan incorporar elementos arquitectónicos y tecnológicos que contribuyan a proteger el ambiente.

  - Si todos los edificios se construyeran siguiendo ese diseño, ¿se aliviaría el problema ambiental? ¿Por qué?

El guanín perdido

La noticia corrió entre todas las agencias de detectives: el guanín había desaparecido. ¿Qué diría el cacique Guarionex si supiera que su doradísimo tesoro se había perdido? El valioso collar había sido robado de la sala del museo que lo mostraba con orgullo.

Todos los súper agentes fueron activados por sus respectivas agencias. Era necesario encontrar tan importante objeto histórico. Daniel y Violeta, la mejor pareja del mundo detectivesco, partieron con rapidez al lugar de los hechos. La administración del museo aún no entendía la manera en que el disco de oro se había **sustraído**. Una vez allí, los súper agentes iniciaron su investigación.

—¿Cuándo ocurrió el robo? —preguntó con gran interés Violeta, mientras anotaba algunas cosas en una pequeña libreta.

—Ayer por la tarde. El guanín se encontraba en esta sala —respondió el **velador** del museo.

—No hay huellas en la caja de cristal donde estaba el guanín. Parece que usaron guantes —dijo Daniel.

—Creo que resolver este caso será más difícil de lo que pensamos —pensó Violeta en voz alta.

—¿Quién se llevó el guanín? ¿Por qué se lo llevó? —preguntó para sí mismo Daniel, en voz baja—. Ya es hora de buscar alguna pista en las otras salas del museo.

—Espera, ¿y si buscamos detrás de ese cuadro? —le cuestionó Violeta a Daniel, mientras señalaba un inmenso cuadro con una estampa taína que colgaba de una pared.

—¡Buena idea! —contestó Daniel.

• **sustraído, de *sustraer*:** hurtar, robar. • **velador:** persona que vela o cuida de algo.

Cuando levantaron el cuadro y lo pusieron sobre el suelo, observaron un pequeño papel pegado al marco del cuadro.

—¡Una pista! —dijo Daniel, mientras despegaba el papel del marco.

—¿De qué se trata? ¿Es un mensaje secreto o algún código?

—Espera —le contestó Daniel—, déjame leerlo.

—Date prisa, ¡está llegando Rubén! —dijo Violeta, mientras miraba hacia la entrada del museo.

Rubén Reparaz, otro súper agente, llegó al museo para buscar el tesoro perdido. ¡Había llegado la competencia! Daniel y Violeta no podían permitir que Rubén lo encontrara primero. Ellos querían seguir siendo los mejores súper agentes del mundo detectivesco.

—"Es-ta-lac-ti-tas" —leía con calma Daniel—. Apenas entiendo las letras rojas. ¡Ah! "**Estalactitas** y **estalagmitas**".

—¿Qué se supone que signifique eso? —preguntó Violeta, muy intrigada.

Rubén, escondido detrás de una puerta, escuchaba a ambos. Muy callado, pensaba en el posible significado de la frase.

"Estalactitas y estalagmitas", pensaba Rubén. "¿Qué querrá decir?"

En la sala del museo, Daniel y Violeta seguían debatiendo los posibles significados del mensaje.

—¡Las cuevas! —se dijo Rubén, mientras salía a toda prisa hacia su carro.

—¡Las cuevas de Camuy! —exclamó Violeta—. ¡Es el Parque de las Cavernas de Camuy!

—¡Vamos para allá! —dijo Daniel—. ¿Dónde está Rubén?

—¡Ahí va! —respondió Violeta, mientras señalaba hacia el estacionamiento—. Seguramente nos escuchó hablar.

Daniel y Violeta salieron a toda prisa hacia su vehículo. Rubén se les había adelantado y llevaba ventaja. Llegar primero a las Cavernas podría significar ser el primero en encontrar el guanín. Prácticamente, toda la misión dependía de eso.

- **estalactitas**: formaciones largas y puntiagudas que cuelgan del techo de las cavernas por la filtración de aguas calizas carbonatadas.
- **estalagmitas**: estalactitas invertidas que nacen en el suelo de las cavernas, con la punta hacia arriba.

—Tenemos un problema —dijo Violeta con preocupación—. No sé cómo llegar a las cavernas. ¿Tú sabes llegar?

—Yo tampoco sé, pero utilizaremos el GPS que instalé en el auto —dijo Daniel.

—¿El GPS? —cuestionó Violeta algo extrañada—. ¿Cómo funciona?

—Es un aparato que nos dará las direcciones para llegar al lugar.

—¿En serio? Bueno, de todos modos, Rubén llegará primero.

—No necesariamente —le respondió Daniel—. El GPS nos dará las direcciones para llegar en menos tiempo.

Utilizando las direcciones que proveyó el GPS, comenzaron el recorrido. De camino al Parque de las Cavernas de Camuy, la pareja seguía elaborando teorías sobre quién, cómo y por qué se habían llevado el guanín del cacique Guarionex. Este caso aún les resultaba todo un misterio difícil de resolver.

Una vez llegaron, Daniel y Violeta comenzaron el recorrido a través del sistema de cuevas. Estuvieron alertas todo el tiempo para encontrar una pista que los condujera a la pieza histórica. Unos minutos después, llegó Rubén Reparaz.

—Llegaron primero —dijo el súper agente—. ¡Debo seguirlos!

Rubén entró en el recorrido para hallar sus propias pistas, pero sin perder de vista a la pareja. Ya había pasado media hora y ninguno había encontrado el guanín o alguna otra pista. Pero ya poco parecía importar. Todos estaban maravillados con la belleza de las cuevas.

—Esas son estalactitas —dijo Violeta, señalando las impresionantes formaciones que colgaban del techo de la cueva.

—¡Son impresionantes! —respondió Daniel, **embelesado** por el espectáculo.

• **embelesado**, de *embelesar*: cautivar los sentidos.

—¡Y pensar que todo comienza con una gota de agua! Estas son las estalagmitas —dijo Rubén, mientras señalaba las formaciones en el suelo del lugar.

—¡¿Qué haces aquí?! —preguntaron sorprendidos Daniel y Violeta.

—Buscando el guanín perdido, al igual que ustedes —respondió Rubén con una sonrisa.

—Pues parece que ninguno lo encontrará —dijo Violeta—. No hemos dado con él. ¿Tú encontraste algo?

—Nada —le dijo Rubén—, pero debe estar aquí.

Mientras Violeta y Rubén conversaban, Daniel seguía buscando alguna cosa que pareciera una pista. De pronto, en un **recoveco** de la gran cueva, vio un dibujo rojo en el suelo.

—¡Miren, aquí! —exclamó Daniel—. Esta debe ser otra pista. Es un dibujo de una montaña rodeada de nubes.

—Debe tratarse de El Yunque —dijo Rubén—. Su nombre proviene de *yuque*, palabra taína que significa "tierras blancas", porque sus puntas están rodeadas de nubes.

—Pues, ¡en marcha! ¡Busquemos el guanín! —exclamó Violeta.

De pronto, toda la competencia había desaparecido. Encontrar aquel tesoro era más importante que ser el mejor en el mundo detectivesco. Los súper agentes se dieron cuenta de que realizar la misión sería más fácil si se ayudaban entre todos. De esa forma, los tres colegas comenzaron el largo viaje hacia El Yunque.

—Había olvidado lo hermoso que es esto —decía Daniel, mientras observaba el paisaje.

Los súper agentes olvidaron por un momento el guanín. La vista era tan imponente en el lugar que no pudieron sino admirarla con detenimiento. Al cabo de un rato, los tres **intrépidos** jóvenes continuaron la búsqueda.

Caminaron entre las veredas verdes, viendo saltar los lagartijos de un lado a otro. De vez en cuando, alguna mariposa revoloteaba entre las plantas. Aunque todo era hermoso, seguían sin descubrir pistas.

—¡Debemos hallar alguna pista! —exclamó Daniel con frustración.

—El área de El Yunque es demasiado grande —respondió Rubén—. ¡Esa pieza histórica podría estar en cualquier lado!

—Tal vez el dibujo de la pista no era sobre El Yunque —dijo Violeta.

Ya habían pasado varias horas desde que los agentes llegaron al bosque. Faltaba poco para el atardecer. Con tristeza, decidieron irse, pero acordaron regresar a la mañana siguiente.

• **recoveco:** sitio escondido, rincón. • **intrépidos:** valientes.

Al llegar a sus automóviles, los agentes no creían lo que veían. Sobre ambos vehículos había dos pequeñas cajas. Sin duda alguna, eran pistas nuevas. Pero, ¿quién las había dejado?

—¿Qué es esto? —se cuestionó Violeta—. Sabe quiénes somos. ¡Nos ha estado siguiendo!

Los jóvenes miraron a todos lados, pero no vieron a nadie. Al abrir las cajas, solo encontraron escarcha.

—¿Brillo? —preguntó Rubén, un tanto confundido.

—Hasta ahora, esta persona nos ha llevado a las Cavernas y a El Yunque. ¿Qué relación hay entre ellos? Creo que quiere decirnos algo —dijo Violeta.

—Ambos son lugares naturales importantes de la Isla —indicó Rubén.

—¡Eso es! —gritó Daniel con mucha emoción—. ¡Brillo! ¡La Parguera se conoce por su brillo!

—¡Es cierto! ¡Vamos! —dijo Violeta.

De camino a la bahía **bioluminiscente**, Daniel y Violeta hablaban sobre los sitios que habían visitado. Con tanto trabajo, habían olvidado cuántos lugares hermosos tiene la Isla.

Era casi de noche cuando llegaron a La Parguera. Los agentes pensaron que sería muy difícil encontrar una pista. Por lo tanto, decidieron dar un paseo en lancha para apreciar la bahía.

—Nunca había estado aquí. ¡Esto es increíble! —dijo Daniel.

—¡Es tan brillante! ¡Parecen cientos de lucecitas en el agua! —expresó Rubén con entusiasmo.

—Precisamente —contestó Violeta—, ese brillo es luz fría, o bioluminiscencia, producida por millones de microorganismos que viven en el agua.

—¡Todos los días se aprende algo nuevo! —les dijo Rubén.

Luego del paseo, los súper agentes llegaron al muelle. Allí vieron una extraña formación rectangular hecha de pequeñas piedras. En el centro del rectángulo, había un pedacito de madera que parecía un cemí.

—Con esta nueva pista, debemos buscar un lugar importante de herencia indígena —dijo Rubén.

• **bioluminiscente**: ser vivo que tiene la característica de emitir luz.

—¡Un momento! —interrumpió Daniel—. Estamos buscando el guanín de Guarionex, y él gobernó en el área de Utuado. La plaza principal del Parque Ceremonial de Caguana es rectangular.

—¡Entonces, se trata de Caguana! —exclamó Violeta con una gran sonrisa.

—Iremos mañana por la mañana —dijo Rubén.

Los tres agentes se despidieron luego de un día lleno de aventuras alrededor de la Isla.

A la mañana siguiente, Daniel, Violeta y Rubén se encontraron en el Parque Ceremonial Caguana, en Utuado. Al entrar en el lugar, se quedaron en silencio por un largo rato.

—Imaginé —dijo de pronto Daniel— que era un taíno y que corría alrededor del lugar.

—Yo sentí nostalgia —continuó Violeta—. Aquí, nuestros antepasados cantaban y bailaban.

—Este lugar es muy importante para recordarnos de dónde venimos —manifestó Rubén.

En ese instante, se sintió una extraña calma. Nadie habló. Unos minutos después, los rayos del sol hicieron brillar algo a lo lejos. Los súper agentes corrieron hacia la plaza principal.

—¡Es el guanín! —exclamaba Rubén al recoger el disco de oro, que se encontraba frente a una gran piedra tallada.

—Aquí hay algo más —dijo Daniel, mientras recogía un pedazo de madera que estaba junto al guanín.

—Está tallada —dijo Violeta—. Dice "Borikén". Así llamaban los indígenas a la Isla.

Los tres agentes, ahora amigos, permanecieron pensativos el resto del día. Devolvieron el guanín al museo, mas conservaron el pedazo de madera. Esta importante misión los llevó de vuelta al origen de todo. El guanín perdido los hizo redescubrir la Isla. Nunca se supo quién se llevó el guanín y, mucho menos, cómo se pudo sacar de la caja de cristal. Pero, al parecer, esa persona secreta sí quería decirles algo.

Jessenia Pagán Marrero
(puertorriqueña)

OTRAS SENDAS...

Una gira al museo
C.J. García

Un viaje en guagua con Pepo, Yari y sus compañeros de clase sirve de marco para *Una gira al museo*, de C.J. García. Este cuento es sobre una excursión inolvidable al Museo de Arte de Ponce, con episodios relacionados con el Monumento al Jíbaro y Caja de Muertos.

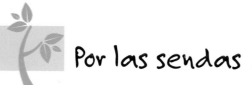

Por las sendas

Me informo

● Escribe, en cada hoja de la libreta de Violeta, el lugar que se visitó y lo que se encontró allí. Escríbelos en orden cronológico, del 1 al 5.

#1

Lugar:

Hallazgo:

#2

Lugar:

Hallazgo:

#3

Lugar:

Hallazgo:

#4

Lugar:

Hallazgo:

La libreta de Violeta

#5

Lugar:

Hallazgo:

Interpreto

● Lee el fragmento. Luego, realiza estas actividades:

1 Identifica cuál es el conflicto del texto.

2 Menciona los personajes que van a resolver ese conflicto.

3 Escribe la acción o las acciones que toman los personajes para iniciar la solución del conflicto que deben resolver.

Todos los súper agentes fueron activados por sus respectivas agencias. Era necesario encontrar tan importante objeto histórico. Daniel y Violeta, la mejor pareja del mundo detectivesco, partieron con rapidez al lugar de los hechos. La administración del museo aún no entendía la manera en que el disco de oro se había sustraído. Una vez allí, los súper agentes iniciaron su investigación.

Examino

✓ En algún momento, ¿volvieron los tres súper agentes a pensar en la competencia que había entre ellos?

✓ Piensa en cómo era la vida de los tres súper agentes antes de buscar el guanín. ¿Crees que sus formas de pensar cambiaron al redescubrir sus orígenes y su país? Explica.

✓ ¿Cuál es el mensaje que nos quiere dar la autora en la lectura?

EVALÚO Y CUESTIONO

☑ ¿Piensas que Daniel y Violeta hicieron bien en unirse a Rubén Reparaz para encontrar el guanín? ¿Por qué?

☑ Si hubieses sido uno de los súper agentes, ¿te habrías unido a Rubén? ¿Por qué?

☑ Si los súper agentes no hubieran encontrado el guanín, ¿habrían sido los viajes que hicieron una pérdida de tiempo? ¿Por qué?

☑ ¿Crees que sea importante conocer la historia de nuestros antepasados? Explica.

DOY LO MEJOR DE MÍ

Educación moral y cívica

En la comunidad donde vive Néstor, se está organizando un areyto para recordar y celebrar la cultura taína. Todos los adultos y los jóvenes van a ayudar a preparar la actividad. Los padres de Néstor le han pedido que coopere, pero él se niega, ya que piensa que es algo aburrido y difícil. También, piensa que no es algo importante, porque los areytos ya no se celebran.

● Contesta:

• ¿Crees que las razones que tiene Néstor para no ayudar son válidas? Explica.

A la comunidad que pertenezco, mi ayuda siempre ofrezco.

Sinónimos y antónimos

Carlos (web) <carlos@guanín.com>

Carlos dice:
¡Lola! ¿Estás **dormida**?

Lola dice:
Estoy **despierta** revisando la **tarea**.

Carlos dice:
Ya yo hice la **asignación**.
¿Tienes la televisión **encendida**?
¡Va a comenzar la película! 😊

Lola dice:
Gracias por avisar. 😊 La tenía **apagada**.

Send

● Contesta:

a. ¿Qué tienen en común las palabras destacadas en el *chat*?

b. ¿Hay relación entre ellas? Explica.

Al utilizar sinónimos y antónimos, enriquecemos nuestro vocabulario.

Los **sinónimos** son las palabras que se escriben distinto, pero que tienen un significado igual o muy parecido. Se utilizan para ampliar el vocabulario y evitar las repeticiones.

Ejemplos:

✓ tarea ➜ asignación

✓ saltar ➜ brincar

✓ rápida ➜ veloz

✓ angosto ➜ estrecho

✓ fácil ➜ sencillo

Al intercambiar una palabra con su sinónimo, la oración no pierde sentido.

Ejemplos:

✓ Valentino es un cantante muy conocido.

✓ Valentino es un cantante muy famoso.

Al sustituir un sinónimo por otro, ambos deben permanecer en la misma categoría gramatical. Es decir, si buscamos un sinónimo para un adjetivo, tenemos que usar otro adjetivo.

Ejemplos:

✓ Sustantivo:
cara ➜ rostro

✓ Adjetivo:
lindo ➜ bonito

✓ Verbo:
verificar ➜ cotejar

Los **antónimos** son palabras que tienen un significado opuesto, o contrario.

Ejemplos:

✓ dormida → despierta

✓ encendida → apagada

✓ saludable → enfermizo

✓ violento → tranquilo

Algunos antónimos se forman con los prefijos *a*, *anti*, *i*, *im*, *in* o *des*.

Ejemplos:

✓ normal → anormal

✓ ético → antiético

✓ lógico → ilógico

✓ posible → imposible

✓ quieto → inquieto

✓ hacer → deshacer

Al igual que los sinónimos, el antónimo debe pertenecer a la misma categoría gramatical.

Ejemplos:

✓ Adjetivo:
bueno → malo

✓ Verbo:
seguir → parar

EN MI LIBRETA...

1 Relee el último párrafo de la lectura "El guanín perdido". Luego, selecciona cinco palabras y busca sus antónimos.

2 Prepara una tabla donde incluyas los sinónimos y los antónimos de las siguientes palabras:

a. proponer   **d.** brillante

b. melancólico   **e.** recoger

c. moderno   **f.** trabajador

3 Escoge dos palabras del ejercicio anterior. Para cada palabra, escribe dos oraciones: una con su sinónimo y otra con su antónimo.

SE DICE ASÍ...

● Selecciona y, luego, comenta la forma como se dice en Puerto Rico.

a. Voy a elevar la **chiringa**.

b. Voy a elevar la **cometa**.

c. Voy a elevar el **volantín**.

Las oraciones según la actitud del hablante

¡Ven a celebrar mi cumpleaños!

Me gustaría compartir contigo ese día tan especial. ¡Será muy divertido!

¿Dónde y cuándo lo festejaremos?
Será en el parque Luis Muñoz Rivera,
el 16 de febrero, a la 1:00 p.m.
Trae tu traje de baño. Quizás, nos bañemos en el mar.
Habrá sorpresas, bizcocho y mucho más.

★ ¡No puedes faltar! ★

● Contesta:

a. ¿Qué expresa cada oración en la invitación?

b. ¿En qué se diferencian las oraciones en la invitación? Explica.

c. Cuando tú hablas, ¿te expresas como en esas oraciones? ¿En qué ocasiones? Explica.

Oración	Definición	Ejemplo
Enunciativa	Expresa una idea o una información.	Será en el parque Luis Muñoz Rivera, el 16 de febrero, a la 1:00 p.m.
Interrogativa	Se utiliza para preguntar.	¿Dónde y cuándo lo festejaremos?
Exclamativa	Expresa alegría, sorpresa o admiración.	¡Será muy divertido!
Exhortativa	Da órdenes o prohíbe algo.	Trae tu traje de baño.
Dubitativa	Expresa duda.	Quizás nos bañemos en el mar.
Desiderativa	Expresa un deseo.	Me gustaría compartir contigo ese día tan especial.

Al comunicarnos, nuestras oraciones pueden expresar intenciones diferentes. Esto depende de nuestra actitud y nuestras emociones.

Clases de oración enunciativa

- Piensa y comenta:
  - **a.** ¿Qué clases de oraciones utilizan los personajes de la tirilla?
  - **b.** Compara ambas oraciones. ¿En qué se diferencian?

La oración enunciativa

Afirmativa

ejemplo

Encontré una pista.

Negativa

ejemplo

No encontré ninguna pista.

Para construir oraciones enunciativas negativas, podemos utilizar elementos especiales, tales como: *no, nunca, nada, nadie, ninguno, jamás,* etc.

EN MI LIBRETA...

Las oraciones, según la actitud del hablante

1 Imagina que fueras un personaje de la lectura "El guanín perdido". Escribe utilizando oraciones según la actitud del hablante lo que te gustaría decir si estuvieras en el cuento.

2 Clasifica las siguientes oraciones, según la actitud del hablante:

- Me gustaría ir a las Cavernas de Camuy.
- Tal vez vaya al cine.
- ¡Qué linda es la Navidad!
- Abre la puerta, por favor.
- ¿Quieres almorzar?

Clases de oración enunciativa

- Clasifica estas oraciones enunciativas en afirmativas o negativas.
  - Hoy vamos a jugar al parque.
  - No tengo los libros aquí.
  - Yo tampoco quiero bizcocho.
  - Ellos vieron la película.
  - Daniela y Gabriel no son de este grado.
  - Luis y Omar fueron al cumpleaños.
  - Ayer fuimos al supermercado.

Aunque existen todos estos tipos de oraciones, las que más se usan son las enunciativas.

TALLER DE GRAMÁTICA

1 Busca dos tirillas cómicas de algún periódico. Identifica si hay oraciones interrogativas, exclamativas, enunciativas, exhortativas, dubitativas o desiderativas. Cópialas en tu libreta. En el salón de clases, únete a un compañero y escriban un diálogo usando las oraciones que encontraron. Luego, léanlas al resto de la clase.

2 Pídeles a dos amigos o familiares que digan oraciones enunciativas afirmativas. Entre ambos, debe haber cinco oraciones. Luego, cámbialas a enunciativas negativas. Compártelas con tus compañeros.

Cuaderno págs. 16-19

Las letras mayúsculas

Letralandia • Tu revista literaria

El escritor l. j. Buendía nos dijo en exclusiva cuáles son algunos de sus libros favoritos. *cien años de soledad*, *cuentos de la selva* y *el proceso* son algunos de ellos. También, nos confesó que los compró en la desaparecida Librería Guarionex, cuya propietaria era la sra. Úrsula Quiroga, quien era muy respetada por la comunidad literaria.

● Contesta:

a. ¿Crees que el autor del artículo utilizó correctamente las letras mayúsculas? Explica.

b. ¿Sabes qué significa "Sra."?

AHORA SÉ QUE...

Algunos usos de la letra mayúscula se dan en:

✓ las iniciales.

Ejemplo: L. J. Buendía

✓ algunas abreviaturas.

Ejemplo: Sra. → señora

✓ los títulos de libros.

Ejemplos: Cien años de soledad, Cuentos de la selva, El proceso

EN MI LIBRETA...

● Reescribe el siguiente texto, utilizando las letras mayúsculas cuando sean necesarias.

A la dra. Vargas le gusta mucho la lectura. La semana pasada, se compró tres libros. Ayer, terminó de leer el libro crónica de una muerte anunciada y hoy empezó a leer don Quijote de la Mancha. Mientras termina de leerlo, le prestó al dr. Horacio a. Pérez la novela el corazón de Voltaire.

SE ESCRIBE ASÍ...

Es importante recordar que, además de la primera letra del título de un libro, si hay un nombre propio dentro de él, también su primera letra debe ser mayúscula.

Las cuitas del joven Werther

El corazón de Voltaire

Las aventuras de Tom Sawyer

● Investiga tres títulos de libros que tengan nombres propios.

Un cuarto espacial

Mi cuarto es amplio y luminoso. Sus paredes son de un color azul claro que me transporta a un cielo inmenso. Al acostarme, mi cama se transforma en una nave espacial que me lleva de paseo por un cielo lleno de estrellas. Por las ventanas, puedo ver los meteoritos que tengo que esquivar con mi nave. La bombilla de mi cuarto es como la luna que quiero alcanzar.

Mi dormitorio es un gran centro de operaciones, donde el televisor y la computadora son mi centro de cómputos. En una pared, tengo una imagen del primer hombre que pisó la luna. Saturno y Venus están opuestos a mi cama. En las noches, me ilumino con miles de constelaciones. Cuando todo se ilumina, con la luz de las estrellas que están colocadas en el techo, siento que me elevo hasta alcanzarlas.

Mi hermano y yo nos divertimos mucho allí. Somos grandes compañeros de viaje. Juntos, vamos por un universo donde hay mucho que explorar.

Isabel Díaz Torres
(*puertorriqueña*)

El **texto descriptivo** pretende resaltar o hacer un recuento de las características y las cualidades de alguien o de algo. En él, se buscan las palabras adecuadas para expresar, con precisión, lo que se describe. La descripción es un lenguaje literario que consiste en explicar con muchos detalles cómo son las personas, los animales, los lugares y los objetos.

Existen varios tipos de textos descriptivos. Algunos son:

- **Retrato**: se describe el aspecto físico de una persona, se explica cómo son su personalidad y su comportamiento.

- **Etopeya**: se ocupa en describir el carácter, las cualidades y las costumbres de una persona.

- **Topografía**: describe detalladamente un lugar, un paisaje o un escenario.

Ahora, lo hago yo

Me organizo

● Elabora una lista de lo que quieres incluir en tu texto descriptivo. Sigue estos pasos:

1 Selecciona un lugar real o imaginario que te gustaría describir.

2 Observa o imagina, detenidamente, el lugar que escogiste. Prepara una lista de sus detalles físicos.

3 Piensa y, luego, escribe qué te hace sentir ese lugar (alegría, nostalgia, etc.).

Lo escribo

● Redacta el borrador de tu texto descriptivo. Sigue estos pasos:

✓ Escribe un párrafo sobre el lugar que escogiste. Explica dónde se encuentra y por qué y cuándo prefieres estar allí.

✓ En otro párrafo, describe físicamente el lugar. Utiliza la lista de detalles.

✓ Escribe un párrafo final, en el cual expreses una conclusión sobre ese lugar.

✓ Escribe un título para tu texto.

Me corrijo

● Lee atentamente tu texto descriptivo. Determina si has cumplido con los siguientes requisitos:

✓ ¿Describe tu texto un lugar por medio de detalles?

✓ ¿Guarda el título relación con el texto?

✓ ¿Tiene tu escrito una secuencia lógica?

Espacio de tertulia

Presento mi texto descriptivo

Cuando pinto un paisaje, me gusta observarlo con detenimiento y perfeccionar cada detalle. En una pintura, todos los detalles son importantes: desde una pequeña hoja hasta un mar inmenso. Al finalizar mi pintura, me gusta escribir sobre lo que veo en ella. Así, los pensamientos que tuve al crear ese paisaje los traslado al papel, a través de mi lápiz. Después de esmerarme en una amplia descripción que retrate mi obra de manera fiel, reúno a mis amigos y la comparto con ellos.

Preparación

1 Memoriza el texto descriptivo que redactaste.

2 Repite el texto varias veces en voz alta. Hazlo con claridad.

3 Practica el uso de gestos.

4 Utiliza recursos que te ayuden a explicarles a tus compañeros cómo es el lugar que describes, tales como fotos o dibujos, entre otros. Sé creativo.

Presentación

● Recuerda lo siguiente:

✓ Menciona el lugar del cual vas a hablar.

✓ Mantén un volumen de voz apropiado, para que tus compañeros puedan escucharte con claridad.

✓ Describe oralmente. Usa oraciones completas, adjetivos y frases descriptivas.

Autoevaluación

✓ ¿Mencioné todos los detalles de la descripción?   ❏ Lo hice bien.   ❏ Puedo mejorar.

✓ ¿Utilicé oraciones completas?   ❏ Lo hice bien.   ❏ Puedo mejorar.

✓ ¿Describí con exactitud al utilizar los adjetivos?   ❏ Lo hice bien.   ❏ Puedo mejorar.

✓ ¿Hablé con coherencia, claridad y corrección?   ❏ Lo hice bien.   ❏ Puedo mejorar.

✓ ¿Fue efectivo el recurso visual que utilicé?   ❏ Lo hice bien.   ❏ Puedo mejorar.

Punto de encuentro

El Sistema de Posicionamiento Global (GPS)

El Sistema de Posicionamiento Global (conocido, por sus siglas en inglés, como GPS) determina la posición de un objeto, una persona o un automóvil, en el Planeta. El GPS funciona mediante una red de veintisiete satélites con trayectorias combinadas, para cubrir toda la superficie de la Tierra. Cuando se quiere localizar algo, se utilizan tres satélites de la red, de los que se reciben unas señales que indican su posición. Al conocer la posición de los satélites, se pueden ubicar, a su vez, las coordenadas reales del objeto. Hoy día, muchos autos incluyen esta tecnología para buscar direcciones.

1 Busca el sinónimo de las siguientes palabras. Luego, escribe una oración con cada sinónimo.

- automóvil
- real
- objeto
- ubicar

2 Escribe, utilizando las siglas *GPS*, una oración exclamativa, una interrogativa y una exhortativa.

3 Aunque, en la actualidad, muchas personas tienen acceso a la tecnología del GPS, otras no lo tienen. Si una persona que no cuenta con esta tecnología se pierde, en un país o en un pueblo que no conoce, ¿qué otras alternativas tiene para buscar direcciones? Enumera y discute todas las posibilidades (tecnológicas y no tecnológicas) que tiene la persona.

¡A pensar!

El cómic

El cómic es un texto literario compuesto por dibujos o viñetas que siguen una acción y narran historias, a través de imágenes acompañadas de texto.

Este género utiliza recursos para hacer la historia más atractiva. Los gestos de los personajes, los sonidos onomatopéyicos y los globos, o bocadillos, que contienen los diálogos son algunos de ellos.

El cómic, además de la fantasía, abarca temas tan complejos como la sociedad, la ciencia-ficción y la política. Por tal razón, los dibujos son más realistas.

Aparecen personajes como superhéroes, detectives o agentes secretos, como Batman, el Capitán América y Dick Tracy, entre otros.

ANALIZAR

1 Ilustra con dibujos cada uno de los siguientes recursos utilizados en un cómic:

a. gestos y movimientos de personajes.

b. uso de la onomatopeya.

c. bocadillos.

2 Contesta:

• ¿Por qué el uso de los recursos mencionados anteriormente son importantes en el cómic? Explica.

SINTETIZAR

● Piensa en alguna experiencia que hayas vivido (un viaje, algún suceso curioso o importante para ti, etc.). Luego, crea tu propio cómic sobre ese evento. No olvides utilizar los recursos que se usan en los cómics.

EVALUAR

● Lee el siguiente texto:

Violeta quiere hacer un cómic sobre cómo las personas hacen sus propios grupos sociales. En él, quiere criticar cómo algunos de ellos rechazan a las personas que no sean y que no actúen como ellos. El personaje principal será un superhéroe que se dedica a eliminar esas barreras y a unir a las personas.

• Evalúa qué temas y qué tipo de personajes quiere utilizar Violeta en su cómic.

Mi ambiente

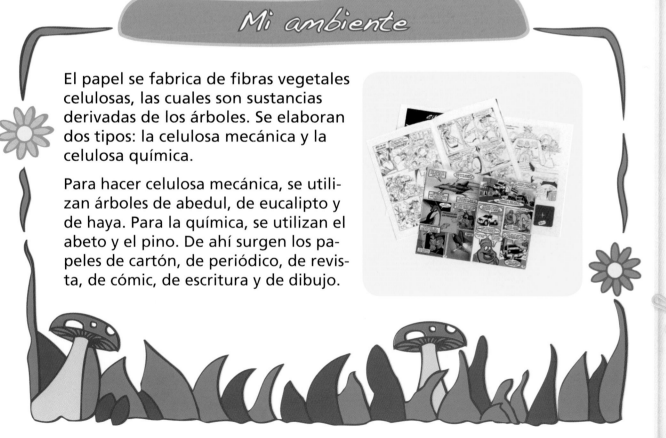

El papel se fabrica de fibras vegetales celulosas, las cuales son sustancias derivadas de los árboles. Se elaboran dos tipos: la celulosa mecánica y la celulosa química.

Para hacer celulosa mecánica, se utilizan árboles de abedul, de eucalipto y de haya. Para la química, se utilizan el abeto y el pino. De ahí surgen los papeles de cartón, de periódico, de revista, de cómic, de escritura y de dibujo.

Sé que aprendí

1 Busca en el diccionario el sinónimo de las siguientes palabras. Luego, busca, en la sopa de letras, los sinónimos que encontraste y cópialos en tu libreta.

claro	excelente	extinguir	intelectual	vivaracho

w	h	n	x	m	e	r	u	d	i	t	o	r
k	i	q	f	h	e	f	t	h	i	s	l	j
a	t	r	a	n	s	p	a	r	e	n	t	e
x	a	t	c	e	c	y	m	d	b	a	a	n
w	j	d	x	g	e	a	l	c	p	p	o	v
b	r	c	i	j	k	n	d	u	q	a	e	u
a	l	e	g	r	e	v	g	r	s	g	k	m
j	b	d	o	p	q	y	x	f	t	a	m	z
a	s	u	p	e	r	i	o	r	x	r	a	f

2 Diseña un cómic de cuatro viñetas que narre lo que podría suceder después del final de la lectura "El guanín perdido". Incluye, en los diálogos, los distintos tipos de oración, según la actitud del hablante. Debes utilizar los tres personajes principales de la lectura y algún personaje de los cómics.

3 Busca un antónimo y un sinónimo para cada una de las siguientes palabras. Escribe el sinónimo, de cada palabra, en un papel de construcción rosado y su antónimo, en un papel de construcción amarillo. Luego, construye una oración con cada par de palabras. Cuando vayas a construir las oraciones, pega los papeles en tu libreta.

Ejemplo: amplio → estrecho

El cuarto era estrecho, pero, luego de la remodelación, pasó a ser amplio.

aislado	creer	cuidar	frecuente	nervioso	rival

4 Imagina que tienes que diseñar la portada de un libro escrito por ti. ¿Cómo se llamaría y cómo se vería? Crea una portada para tu libro, aplicando las reglas de las letras mayúsculas. Para hacerla, puedes utilizar los siguientes materiales:

- papel de construcción y/o papel en blanco
- tijeras
- pega
- calcomanías
- cintas
- materiales de tu casa que puedas reciclar (papel de regalo, cajas, etc.)
- cualquier otro material que quieras usar

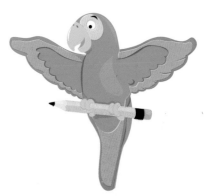

DiARio REFLEXiVo

- Contesta:

  a. ¿Comprendes mejor el significado de las palabras, si conoces sus sinónimos y sus antónimos? ¿Por qué?

  b. De todas las clases de oraciones, según la actitud del hablante, ¿hay alguna clase que se te haga difícil identificar? ¿Por qué?

  c. ¿Haces buen uso de las mayúsculas al escribir títulos de libros, abreviaturas e iniciales? ¿Tiene alguna importancia? ¿Por qué?

El valor del dinero

¡Vamos a hablar!

- ¿Qué tiene la niña entre sus manos? ¿Para qué se usa?
- ¿Qué crees que vaya a hacer la niña con la moneda que le da su abuelo?
- ¿Qué harías si te dieran dinero?
- ¿Alguna vez has necesitado dinero? ¿Lo has conseguido? ¿Cómo?

En este capítulo...

✓ conocerás lo que es una serie de palabras.

✓ repasarás el sujeto y el predicado.

✓ reconocerás e identificarás los signos de exclamación y los de interrogación.

✓ conocerás las características del texto argumentativo.

✓ redactarás un texto argumentativo.

✓ aprenderás a presentar un texto argumentativo mediante un debate.

Ventana al verde

- Reflexiona:

  La primera alcancía de cerdito data del año 15 d. de C. Fue hecha con terracota, que es una arcilla endurecida al horno.

  - ¿Es más adecuada la terracota que el plástico, para fabricar las alcancías? ¿Por qué?

Choja, el piadoso

Cuentan los antiguos libros que hace mucho, mucho tiempo, en la ciudad de El Cairo, vivía un hombre honrado, al que todos llamaban "Choja, el piadoso".

Cada día, Choja acostumbraba salir al umbral de su puerta y, allí, entonaba en voz alta sus plegarias. Una mañana, hizo un ruego muy especial:

—¡Oh, Alá, el Grande, el Misericordioso! Necesito cien dinares de oro. Si tu infinita generosidad consintiera en enviármelos… Tú sabes, Señor, que no es codicia; solo los quiero para atender a esta necesidad que me ha sobrevenido. Te pido cien dinares justos, ni uno más ni uno menos.

Al lado de Choja, vivía Ibrahim, un próspero perfumista. Todos los días, cuando Ibrahim salía al patio a secar las plantas, para elaborar sus aromas, escuchaba los rezos de Choja. Aquel día, Ibrahim decidió comprobar si de verdad su vecino era tan piadoso y honrado como todos decían. Para saberlo, puso en marcha un plan.

Primero, preparó una bolsa de cuero. Luego, metió en ella noventa y nueve monedas y la ató con un pequeño cordón. Después, esperó a que Choja se pusiera a rezar y, entonces, arrojó la bolsa desde la ventana. La bolsa cayó, como llovida del cielo, a los pies de su vecino.

Choja, que estaba **absorto** en su rezo, se sobresaltó. Luego, cogió la bolsa, la desató con cuidado y vació el contenido sobre su túnica.

—¡Alá me ha escuchado! —exclamó asombrado al ver las monedas.

Enseguida, Choja se puso a contarlas… ¡Había noventa y nueve dinares!

—¡Loado seas por esta **dádiva** que no merezco, Señor! —dijo con las manos extendidas, mirando al cielo—. Mas yo te pedí cien dinares y aquí hay noventa y nueve. Así que, estoy seguro de que esta bolsa no debe ser para mí. Se la daré a mi vecino. Él tiene una enorme familia que mantener.

- **absorto:** muy concentrado en un pensamiento o en una actividad, sin prestar atención a nada más.
- **dádiva:** cosa que se da como regalo o que se concede gratuitamente, sin esperar nada a cambio.

Choja se marchó a casa de su vecino y le contó lo ocurrido.

—¡Toma, Ibrahim! Seguro que esta bolsa era para ti.

—Gracias, Choja.

"Parece que Choja es sincero", pensó, entonces, Ibrahim. "Sincero y muy ingenuo".

Pero aún quedaba la segunda parte de la prueba. Ibrahim se dispuso a llevarla a cabo.

A la mañana siguiente, el perfumista cogió la bolsa y metió en ella ciento un dinares. Luego, esperó pacientemente a que llegara la hora del rezo y, entonces, lanzó de nuevo la bolsa desde su ventana a los pies de Choja.

Al ver la bolsa de cuero, Choja la reconoció: ¡era la misma del día anterior! Entonces, comprendió lo que estaba pasando y decidió darle un merecido escarmiento a su vecino Ibrahim. Choja contó las monedas: noventa y ocho, noventa y nueve, cien… ¡ciento una! Mirando al cielo, dijo:

—Generoso Alá, no merezco este regalo. No solo me has dado lo que te pedía, sino que me entregas una moneda de más… No puedo consentirlo.

Entretanto, Ibrahim no podía dar crédito a lo que estaba oyendo. ¡Su vecino iba a rechazar las monedas otra vez! Mientras, Choja seguía hablando:

—Pero… no quisiera ofenderte rechazando de nuevo lo que me ofreces. Así que cogeré cien monedas y le entregaré a Ibrahim, mi vecino, la moneda que me has dado de más.

Cuando Ibrahim se dio cuenta de que Choja pensaba quedarse con las monedas, se apresuró a decir:

—¡Choja, devuélveme la bolsa!

—¿Qué bolsa? —preguntó Choja fingiéndose extrañado—. ¿Te refieres a esta que me ha enviado Alá? ¿Es que te parece poco la bolsa que te di ayer? Anda, Ibrahim, confórmate con tu moneda, no seas avaro. Y que Alá te acompañe.

Cuento de *Las mil y una noches*
(adaptación)

OTRAS SENDAS…

En la primera leyenda, se introduce a Violeta, quien siempre ha sentido fascinación por las manos de las personas y cómo sus destinos se reflejan en ellas. En la segunda, se relata la historia de la isla de Caja de Muertos y una historia sobre un fiero y enamorado pirata. Ambos relatos componen *Leyendas del norte y del sur*, de Zulma Ayes.

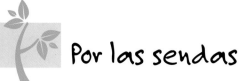

Por las sendas

● Ordena del 1 al 6 los sucesos de la lectura.

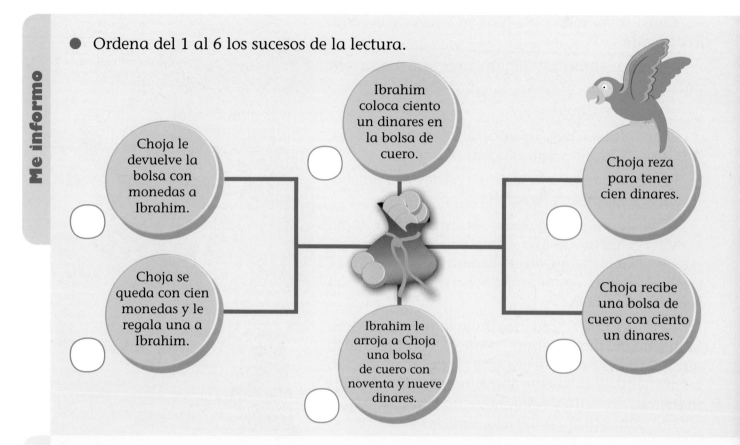

○ Choja le devuelve la bolsa con monedas a Ibrahim.

○ Choja se queda con cien monedas y le regala una a Ibrahim.

Ibrahim coloca ciento un dinares en la bolsa de cuero.

○

Ibrahim le arroja a Choja una bolsa de cuero con noventa y nueve dinares.

○

Choja reza para tener cien dinares.

○

Choja recibe una bolsa de cuero con ciento un dinares.

○

● Lee el siguiente fragmento. Luego, realiza las siguientes actividades:

1 Identifica cuál es la idea principal del texto.

2 Menciona al personaje de mayor participación en esa idea principal.

3 Identifica qué motivó a ese personaje a tomar acción.

Al lado de Choja, vivía Ibrahim, un próspero perfumista. Todos los días, cuando Ibrahim salía al patio a secar las plantas, para elaborar sus aromas, escuchaba los rezos de Choja. Aquel día, Ibrahim decidió comprobar si de verdad su vecino era tan piadoso y honrado como todos decían. Para saberlo, puso en marcha un plan.

Examino

✓ ¿Le correspondía a Ibrahim determinar si Choja era piadoso y honrado? ¿Por qué?

✓ ¿Qué demuestra Choja al darle los noventa y nueve dinares a Ibrahim? Explica.

✓ ¿Por qué Choja decide quedarse con los ciento un dinares?

✓ ¿Cuál es la lección de esta lectura?

EVALÚO Y CUESTIONO

☑ ¿Piensas que Ibrahim invadió la privacidad de Choja, al planificar su trampa, basándose en lo que escuchó? ¿Por qué?

☑ Si hubieses sido Choja, ¿te habrías quedado con la primera bolsa de los noventa y nueve dinares? Explica.

☑ ¿Crees que Ibrahim debió haberle regalado el dinero a Choja, en vez de hacerle una trampa? ¿Por qué?

DOY LO MEJOR DE MÍ

Educación moral y cívica

Víctor pasa mucho tiempo en su terraza cuidando sus plantas. Allí, escucha lo que sucede en las casas de sus vecinos. Hablen de lo que hablen, cuando Víctor se los encuentra, les hace preguntas relacionadas con lo que hablaban. Esto incomoda mucho a sus vecinos, porque sienten que Víctor se entromete en sus vidas.

● Contesta:

• Si escucharas, accidentalmente, alguna conversación, ¿actuarías igual que Víctor?

Para mostrar respeto en la vida de los demás, no me entrometo.

Serie de palabras

Supermercados El Cairo

MANZANAS	$3.05
UVAS	$4.58
LIMONES	$2.55
NARANJAS	$3.80
PERAS	$4.30
KIWIS	$2.55
MELONES	$5.00
MELOCOTONES	$3.20
CIRUELAS	$3.10
TOTAL	$32.13

GRACIAS POR COMPRAR
EN SUPERMERCADOS EL CAIRO.
¡VUELVA PRONTO!

● Contesta:

a. ¿Qué tienen en común todos los alimentos que se compraron?

b. ¿Podrían nombrarse todos en un mismo grupo? ¿Por qué?

Cuando nombramos un conjunto de palabras en torno a una misma idea, formamos una serie de palabras.

Una **serie de palabras** es un conjunto de palabras que se relacionan entre sí.

Para completar una serie de palabras, debemos leer todas las palabras del conjunto, precisar el tipo de relación que tienen entre sí y seleccionar la mejor opción para completarla.

Ejemplos:

✓ *Los medios de transporte:* *patineta, bicicleta, motora, automóvil*

✓ *Los meses del año:* *febrero, abril, junio, agosto*

✓ *Los números:* *veintitrés, veinticinco, veintisiete, veintinueve*

✓ *Los metales:* *cobre, plata, zinc, hierro*

✓ *Los instrumentos para escribir:* *tiza, lápiz, bolígrafo, marcador*

✓ *Los mamíferos:* *perro, león, caballo, oso*

Lo contrario de una serie de palabras es el **término excluido**. Esto es una palabra o un elemento que no pertenece al grupo, porque no tiene la misma relación.

Ejemplo:

✓ *carro, guagua, motora, avión, bicicleta*

Avión es el término excluido en esta serie de palabras, porque, de todas ellas, es el único medio de transporte por aire.

Ejemplo:

✓ *andar, caminar, brincar, descansar, saltar*

El término *descansar* es una palabra antónima dentro de un grupo de sinónimos.

Ejemplo:

✓ *amor, bondad, caridad, respeto, blanco*

El término *blanco* no pertenece al grupo porque es un adjetivo dentro de un grupo de sustantivos.

EN MI LIBRETA...

1 Forma una serie de cinco palabras con cada palabra.

 a. monedas

 b. frutas

 c. juegos

2 Explica la relación entre los elementos de esta serie: bohío, choza, cabaña y casa.

3 Selecciona un objeto de tu casa y otro que haya en tu escuela. Luego, haz una serie de palabras con cada uno, e incluye un término excluido.

SE DICE ASÍ...

● Selecciona la serie de palabras que esté escrita correctamente.

 a. enchufe, enchufar, enchufado

 b. enchufle, enchuflar, enchuflado

 c. enchufe, enchuflar, enchufado

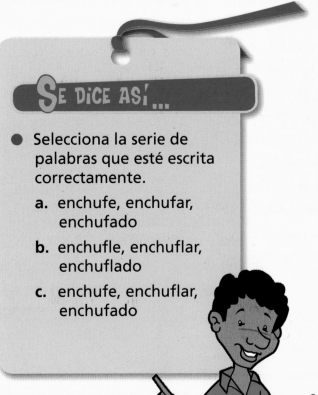

El sujeto

El Nuevo Cairo
20 de enero de 2010

EL CAIRO, Egipto – Según fuentes oficiales, Choja, el piadoso, pidió, en una de sus plegarias a Alá, cien dinares de oro. Ibrahim, su vecino, al escucharlo, decidió llevar a cabo un plan para comprobar su piedad y honradez.

● Contesta:

a. ¿Quién pidió cien dinares de oro? ¿Quién decidió comprobar la piedad y la honradez de Choja?

b. ¿Qué tienen en común tus respuestas?

c. ¿De quién se habla en cada oración?

d. ¿Sabes cómo llamamos a la parte de la oración en la cual se menciona de quién se habla?

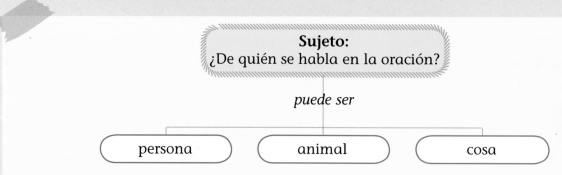

Sujeto:
¿De quién se habla en la oración?

puede ser

persona   animal   cosa

- En la siguiente oración, *Choja, el piadoso*, es el sujeto, porque es de quien se habla y quien realiza la acción:

  Choja, el piadoso, **pidió cien dinares de oro.**

- En la siguiente oración, *Ibrahim, su vecino*, es el sujeto, porque es de quien se habla:

  Ibrahim, su vecino, **decidió llevar a cabo un plan.**

El sujeto es la persona, animal o cosa de quien se habla o se dice algo en la oración.

El predicado

¿Te enteraste? Alá le dio a Choja una bolsa con dinares de oro.

No fue Alá, sino Ibrahim. Él engañó a Choja.

● Contesta:

a. ¿Qué hizo Alá?

b. ¿Qué hizo Ibrahim?

c. ¿Qué tienen en común tus dos respuestas?

Predicado	
definición:	El predicado es lo que decimos acerca del sujeto. Para identificarlo, podemos preguntarnos: ¿qué hace el sujeto?
ejemplo:	*El vecino le arrojó a Choja una bolsa con dinares de oro.* *predicado*

Recuerda que la oración es un conjunto de palabras que expresa una idea con sentido completo. La mayoría de las oraciones tienen sujeto y predicado.

63

En mi libreta...

El sujeto y el predicado

1 Identifica el sujeto en las siguientes oraciones:

- Ileana, mi vecina, fue a El Cairo en el verano.
- Mis amigos conocieron a Choja.

2 Identifica el predicado en las siguientes oraciones:

- Ibrahim trabaja como perfumista.
- Jacinto me regaló una bolsa de cuero.

3 Busca, por lo menos, dos revistas. Sigue estos pasos:

- Selecciona seis títulos o subtítulos de artículos.
- Recorta los sujetos y los predicados.
- Combina los distintos sujetos y predicados, y forma oraciones nuevas.
- Pega las nuevas oraciones en tu libreta. Subraya con el mismo color los sujetos y con otro color, los predicados.

Comparte con tus compañeros las oraciones que creaste. ¡Será muy divertido!

Taller de Gramática

- Haz un dibujo de alguna actividad que hayas hecho durante la semana. Luego, sigue estos pasos:

  - Escribe, en un papel aparte, una oración con sujeto y predicado que explique tu dibujo.
  - Muestra tu dibujo a tus compañeros, para que escriban una oración con sujeto y predicado sobre él. No reveles la oración que escribiste.
  - Tus compañeros deben leer la oración que escribieron. Al final, lee la tuya.

Espigas y palabras

Información sobre monedas — ☐ ➕ ✕

Para...	chojaelpiadoso@elcairo.com
De...	amina@elmarrojo.com
Asunto:	Información sobre monedas

Choja,

Encontré la información que buscabas sobre las monedas. Si deseas, puedo enviártela. ¿Estarás en línea esta noche? ¡Espero que sí!

Tu amiga,

Amina

● Contesta:

a. ¿Piensas que Amina utilice correctamente los signos de interrogación y de exclamación?

b. ¿Qué función cumplen estos signos dentro del texto?

AHORA SÉ QUE...

✓ Los **signos de exclamación** (¡!) indican un sentimiento, que puede ser de sorpresa, alegría, enojo, tristeza o miedo. También, pueden expresar un grito. Los signos se escriben al principio y al final de las exclamaciones.

Ejemplo: ¡Espero que sí!

✓ Los **signos de interrogación** (¿?) indican una pregunta. Se escriben al principio y al final de las preguntas.

Ejemplo: ¿Estarás en línea esta noche?

EN MI LIBRETA...

● Identifica las oraciones con la actitud que corresponda: enojo, alegría, tristeza o pregunta.

- ¿Dónde vives?
- ¡Mi gato está enfermo!
- ¡Jugaremos todos los días!
- ¡Deja de gritar!
- ¿Qué edad tienes?
- ¡Me duele la cabeza!
- ¡Se murió mi conejo!

SE ESCRIBE ASÍ...

En las oraciones en las que solo una parte tiene sentido interrogativo, se usan los signos de interrogación para encerrarla. La misma regla se sigue con los signos de exclamación cuando una parte tiene sentido exclamativo.

La lonchera, ¿es tuya? Ay, ¡que llegue pronto!

● Busca tres ejemplos de estas reglas, en la lectura "El guanín perdido" del capítulo 2.

¿Cuánto vale el dinero?

El dinero, desde sus orígenes, ha servido como un elemento fundamental para nuestra calidad de vida, pero, también, han sido muy notables sus efectos nocivos y destructivos para el ser humano. El dinero ha servido como abono para el crecimiento de la ambición y la avaricia de aquellos que tienen mucho y quieren más.

Por dinero, existen hombres y mujeres que buscan apropiarse de aquello que no les pertenece; buscan enriquecerse a cuenta del dolor, el sufrimiento y la destrucción. Muchos venden sus conciencias, sus valores, su moral y sus principios haciendo el mal a cambio de riquezas. Otros son capaces de privar a algún ser humano del derecho más importante que tiene: el derecho a la vida.

Eso no significa que el dinero sea malo, pues todo está en el uso adecuado que le demos. Concienciemos sobre la importancia de los derechos humanos y el respeto a nuestra dignidad. La vida vale más que un par de monedas de oro.

Isabel Díaz Torres

(*puertorriqueña*)

El **texto argumentativo** tiene como objetivo presentar ideas u opiniones, defendiéndolas con razonamientos y argumentos claros. Pretende convencer al lector y al oyente. Su intención es argumentar y persuadir.

Argumentar consiste en dar razones para apoyar una idea o afirmarla. **Persuadir** significa convencer a alguien para que actúe o piense de una forma particular.

En el texto argumentativo, se utilizan recursos para apoyar los argumentos, tales como: comparaciones, definiciones, citas, etc. Su composición escrita debe tener orden, claridad y precisión.

Su contenido se organiza en tres partes: introducción, desarrollo o argumentación y conclusión. Se pueden encontrar textos argumentativos en artículos de periódicos y de revistas, en ensayos, en discursos y en debates.

Ahora, lo hago yo

Me organizo

● Sigue estos pasos para redactar un texto argumentativo.

1 Selecciona uno de los siguientes temas y decide cuál es tu opinión sobre él.

- La calidad de vida en la ciudad
- La calidad de vida en el campo

2 Investiga sobre el tema. Busca información en la biblioteca o en Internet.

3 Construye dos argumentos que respalden tu opinión.

Lo escribo

● Redacta el borrador de tu texto argumentativo. Sigue estos pasos:

1 Introducción: una oración o dos en las que presentes tu idea u opinión sobre el tema.

2 Desarrollo: dos oraciones o más en las que presentes tus argumentos, razones o ejemplos que apoyen tu opinión.

3 Conclusión: una oración o dos en las que resumas tu idea y tus argumentos. Luego, ponle título a tu texto.

Me corrijo

● Lee cuidadosamente tu texto y determina si cumple con los siguientes criterios:

✓ ¿Defendiste una idea a partir de argumentos bien explicados?

✓ ¿Mencionaste las ventajas de la vida en ese lugar?

✓ ¿Puedes convencer al lector?

Espacio de tertulia

Participo en un debate

Es fascinante cómo las personas pueden debatir diferentes ideas sobre un mismo tema. Al escuchar una opinión contraria de la tuya, puedes reafirmar o hasta cuestionar tus opiniones. Si crees en una idea, debes defenderla con entusiasmo, pero sin perderle el respeto al que no la comparte.

Cuando damos una opinión, debemos asegurarnos de que nos basamos en una información correcta, para no caer en opiniones equivocadas y para no engañar a la persona que nos escucha. El debate es saludable, siempre y cuando haya cordialidad y tolerancia.

Preparación

1 Repasa el texto argumentativo que escribiste, para hacer un debate.

2 Elige y debate con un compañero que haya escogido un tema contrario al tuyo. Tu maestra/o moderará el debate.

3 Conoce bien las ideas, los argumentos y los ejemplos que vas a exponer sobre tu tema.

Presentación

● Al debatir, recuerda:

✓ presentar la idea y los argumentos en el tiempo determinado.

✓ guardar silencio mientras los demás compañeros debaten.

✓ convencer a la audiencia sobre tu idea.

Autoevaluación

✓ ¿Repasé bien mi texto argumentativo? ❑ Lo hice bien. ❑ Puedo mejorar.

✓ ¿Presenté mis ideas o argumentos claramente? ❑ Lo hice bien. ❑ Puedo mejorar.

✓ ¿Cumplí con el límite de tiempo? ❑ Lo hice bien. ❑ Puedo mejorar.

✓ ¿Respeté las reglas y las ideas de los demás? ❑ Lo hice bien. ❑ Puedo mejorar.

✓ ¿Convencí a la audiencia? ❑ Lo hice bien. ❑ Puedo mejorar.

Punto de encuentro

La moneda

Aunque se han realizado muchos estudios acerca de quién inventó la moneda, todavía nadie ha acertado a descubrirlo. Las primeras monedas que se pusieron en circulación con carácter oficial se encontraban en Lidia, hoy Turquía, alrededor del año 600 a. de C. Sin embargo, el origen y uso de las monedas proviene de muchos años antes. Estas primeras impresiones eran de oro o de plata. A través de los años, el material usado para la fabricación de monedas ha variado. Hoy día, se utilizan diversos metales. La moneda tiene la ventaja de que se la puede atesorar para necesidades futuras, ya que conserva su valor indefinidamente.

1 Identifica con una línea el sujeto y con dos líneas, el predicado en las siguientes oraciones:

- Las primeras monedas puestas en circulación se encontraban en Lidia.
- La moneda conserva su valor indefinidamente.
- El uso de las monedas proviene de muchos años antes.

2 Escribe dos oraciones interrogativas y dos oraciones exclamativas, basadas en el contenido del texto anterior.

3 Las monedas no solo son importantes para los intercambios comerciales. Piensa y reflexiona en el valor histórico y cultural de las monedas. ¿Por qué tienen una importancia más allá de lo económico? Explica con ejemplos.

¡A pensar!

Las artes del cuero

Las artes del cuero son una especialidad artística dentro de las creaciones decorativas. El cuero se presenta en una diversidad de trabajos al relieve, que se usan en decoraciones.

Las civilizaciones antiguas utilizaban pieles de animales para confeccionar diferentes elementos necesarios para su vida diaria. La artesanía del cuero es una de las creaciones más antiguas, extensas y de más firmeza en la actualidad.

Nuestros artesanos trabajan creativamente la artesanía con técnicas tradicionales. Algunos ejemplos de artesanía en cuero son: bolsas, zapatos, carteras, correas, cuadros, joyas y prendas de vestir, entre otras.

APLICAR

● Contesta:

a. Identifica seis ejemplos de artesanías hechas con cuero.

b. Explica por qué son falsas las siguientes oraciones:

• El arte del cuero es reciente.

• Las civilizaciones antiguas no usaban las pieles de animales.

• Los artesanos usan técnicas nuevas.

• La artesanía del cuero carece de importancia.

ANALIZAR

● Contesta:

a. ¿Has visto a algún artesano trabajando con el cuero? ¿Dónde?

b. ¿Dónde has visto artesanías de cuero? ¿Cuáles?

c. Imagina que le vas a hacer una entrevista a un artesano. ¿Qué preguntas le harías? ¿Qué crees que él te contestaría?

EVALUAR

● Lee la siguiente situación. Luego, argumenta y justifica tus respuestas.

Algunas personas y organizaciones, a través de todo el mundo, protestan contra aquellas compañías que utilizan la piel de animales para la confección de abrigos lujosos y costosos.

a. ¿Piensas que sea correcto crear abrigos con pieles de animales?

b. ¿Estás de acuerdo con que los artesanos usen el cuero para crear obras artísticas?

c. De no estar de acuerdo, ¿qué soluciones propones?

Mi ambiente

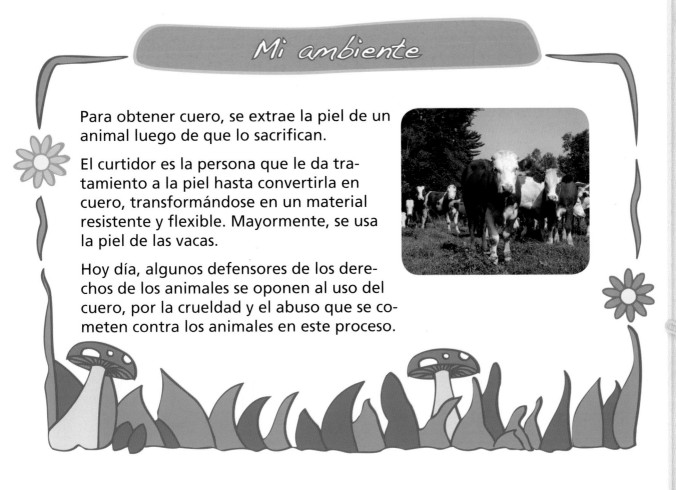

Para obtener cuero, se extrae la piel de un animal luego de que lo sacrifican.

El curtidor es la persona que le da tratamiento a la piel hasta convertirla en cuero, transformándose en un material resistente y flexible. Mayormente, se usa la piel de las vacas.

Hoy día, algunos defensores de los derechos de los animales se oponen al uso del cuero, por la crueldad y el abuso que se cometen contra los animales en este proceso.

Sé que aprendí

1 Dibuja el elemento que completa la serie de palabras. Sigue el ejemplo.

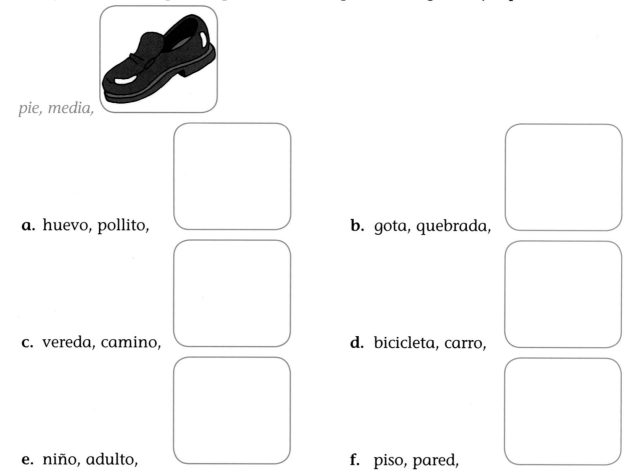

pie, media,

a. huevo, pollito,

b. gota, quebrada,

c. vereda, camino,

d. bicicleta, carro,

e. niño, adulto,

f. piso, pared,

2 Reescribe los siguientes párrafos, añadiéndoles los sujetos correspondientes.

Para mi cumpleaños, ▬▬▬▬▬▬▬▬ decidieron hacerme una celebración con un día de playa. ▬▬▬▬▬▬▬, ▬▬▬▬▬▬▬▬, ▬▬▬▬▬▬ y ▬▬▬▬▬▬▬▬ pensaron que el grupo no podía ser muy grande, así que solo fueron mis dos mejores amigos y mis dos hermanitos, Carlitos y Felipe.

Ese día, la pasamos muy bien. Además de mis dos amigos, tuve una visita sorpresa de ▬▬▬▬▬▬▬, a quien no veía hace mucho tiempo. ▬▬▬▬▬▬▬ vino con compañía, ya que trajo a su ▬▬▬▬▬▬▬.

Todos nos reímos de lo lindo cuando a ▬▬▬▬▬▬▬ se le cayó su pedazo de bizcocho en la arena y vino un ▬▬▬▬▬▬▬ y se lo comió. ¡Nunca olvidaré ese día!

3 Escribe el diálogo para cada personaje. Luego, identifica el predicado de cada oración.

4 Imagina que eres un periodista de la sección de farándula de una revista, y que vas a entrevistar a tu artista favorito. Escribe una lista de diez preguntas que le harías. Luego, escribe las respuestas de tu entrevista. Recuerda utilizar los signos de interrogación y de exclamación, según sea necesario.

DiARio REFlExiVo

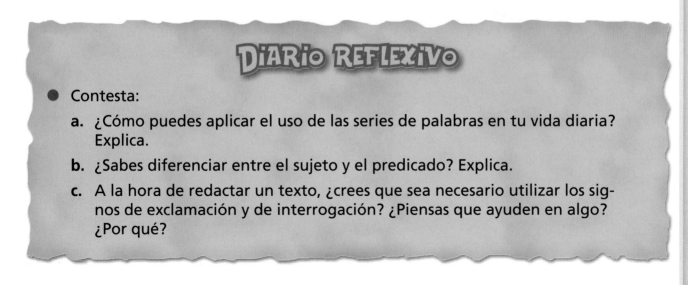

● Contesta:

a. ¿Cómo puedes aplicar el uso de las series de palabras en tu vida diaria? Explica.

b. ¿Sabes diferenciar entre el sujeto y el predicado? Explica.

c. A la hora de redactar un texto, ¿crees que sea necesario utilizar los signos de exclamación y de interrogación? ¿Piensas que ayuden en algo? ¿Por qué?

Un secreto fantástico

¡VAMOS A HABLAR!

- ¿Qué hay en el guardarropa de la niña?
- ¿Qué crees que esté tratando de comunicarle la niña a su hermanito?
- ¿Has guardado algún secreto fantástico?

EN ESTE CAPÍTULO...

- ✓ conocerás más a fondo las palabras compuestas.
- ✓ aprenderás a identificar el sujeto tácito, el núcleo del sujeto y el núcleo del predicado.
- ✓ reconocerás e identificarás la función de la coma, y del punto y coma en un texto escrito.
- ✓ sabrás lo que es un cuento fantástico y conocerás sus características.
- ✓ utilizarás tu imaginación para escribir un cuento fantástico en tercera persona.
- ✓ narrarás tu cuento fantástico a tus compañeros.

VENTANA AL VERDE

- ● Reflexiona:

  Los koalas adultos comen hasta una libra de hojas de eucalipto al día y sacian su sed con el agua de ellas.

  - • Si los árboles de eucalipto escasearan, ¿crees que los koalas podrían sobrevivir? Explica.

Un árbol prohibido

En mi colegio hay muchas cosas terminantemente prohibidas. Está prohibido el subirse a los árboles, hacer guerras de bolitas de papel, dejar comida en el plato, escribir en la pizarra, reír durante las clases, etc.

Pero entre las mil prohibiciones del reglamento, hay una escrita con mayúsculas y subrayada: NO SE PUEDE COMER, NI VENDER, NI COMPRAR, NI MASTICAR CHICLE. El chicle es el peor enemigo de los maestros, quién sabe por qué. Si a uno lo pillan haciendo una bomba de chicle o, simplemente, saboreando ese delicioso dulce, le arman un escándalo igual al que forman cuando suspenden a un estudiante por mala conducta.

Por eso, nos hemos inventado muchas formas de esconder los chicles... Debajo del paladar o del pupitre; detrás de las orejas; a veces, en la suela del zapato o en otros **escondrijos** que seguro podrás imaginar, pero que, por simple prudencia, es mejor no escribir en esta página (nunca se sabe quién puede llegar a leer estos cuentos...).

• **escondrijos:** lugares para esconder algo o esconderse.

Pues resulta que, detrás de la ventana de nuestro salón, en el huerto, había un escondite a prueba de lluvia y de profesores. Allí enterrábamos todos los chicles ya masticados por la clase, hasta que un día apareció una mata misteriosa...

El lunes, cuando el maestro la descubrió, no medía más de treinta centímetros. El martes, a la hora del recreo, la mata se había convertido en un árbol respetable de más de tres pies de alto. El jueves por la tarde, el árbol ya era mucho más alto que el sauce llorón del patio.

Entonces, el maestro de Biología llamó al Jardín Botánico y vinieron siete sabios a examinar el árbol de pies a cabeza. Hubo muchas discusiones a la hora de clasificarlo. Algunos decían que era una variedad del **eucalipto**, por el aroma de sus hojas, y otros creían que era un pariente de la familia de los robles.

• **eucalipto**: árbol mirtáceo originario de Australia, con hojas en forma de lanza, flores rosadas o amarillas y fruto en cápsula, cuyas hojas tienen efecto balsámico.

Mientras tanto, el árbol seguía creciendo de dos a tres pies diarios, sin prestar atención a los comentarios, hasta que llegó a convertirse en el más **colosal** de América. Lo bueno fue que no hubo clases en toda la semana. Se armó una discusión interminable: todo el mundo venía a opinar, y el director tuvo que trasladarse debajo del árbol para contestar las preguntas de los reporteros de televisión.

Cuando el árbol superó la altura de todos los árboles del mundo, llegaron científicos, ecologistas, presidentes y periodistas de todas partes. Nosotros estábamos muy felices, porque las raíces del árbol empezaron a crecer entre los salones de primaria y solo había clases de vez en cuando.

Un día, en el tronco del árbol pusieron una placa de mármol con letras doradas, y el presidente de la República vino a bautizarlo personalmente. Esa mañana, con tantos discursos, tampoco hubo clase, y varios niños del primer grado se desmayaron por aguantar todo el tiempo de pie, bajo los rayos del sol y con uniforme de gala.

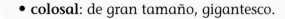

• **colosal:** de gran tamaño, gigantesco.

Han pasado ya dos años desde entonces y el árbol no ha parado de crecer. Ahora mide casi un millón de pies de altura y pronto empezará a hacerles cosquillas a las nubes. Dicen los científicos que entonces habrá un aguacero o, quizás, incluso, algo parecido al diluvio universal. Solo nosotros, los de quinto grado, sabemos que, en vez de agua, lloverán chicles de todas las marcas, colores y tamaños. Y habrá que salir a recogerlos con bolsas, maletas y maletines para evitar un **aluvión**.

Al día siguiente del diluvio, cuando todo el mundo descubra el misterioso origen del árbol de chicle, se va a armar la grande en el colegio. Seguro que lloverán castigos y suspensiones para todos nosotros. Pero no nos da miedo... ¿A quién puede importarle un castigo, si es dueño de una fábrica gigante de chicle natural?

Yolanda Reyes
(colombiana)
(adaptación)

OTRAS SENDAS...

Los relatos de *Leyendas de misterio*, de Ana María Fuster Lavín, están llenos de eventos misteriosos. En uno, el repique de las campanas de un viejo ingenio siempre presagia una desgracia y, en el otro, a un pueblo le suceden cosas terribles por no hacerle caso a un mago que las pronosticó.

• **aluvión**: inundación.

Por las sendas

● Completa la siguiente ficha de lectura:

Ficha de lectura

a. El título de la lectura es _____.

b. La lectura trata de _____.

c. El árbol nació de unos _____ que estaban enterrados en el _____.

d. Palabras nuevas que encontré en la lectura:
_____, _____, _____ y _____.

e. Al ser descubierta, la planta medía _____.

f. Al final de la lectura, el árbol medía _____.

● Lee el fragmento. Luego, realiza las siguientes actividades:

1 Identifica quién es el narrador. Explica cómo lo sabes.

2 Menciona cómo se siente el personaje acerca de la prohibición del chicle en la escuela. ¿La aprueba o la critica? ¿Cómo?

3 Identifica la idea principal del texto.

Pero entre las mil prohibiciones del reglamento, hay una escrita con mayúsculas y subrayada: NO SE PUEDE COMER, NI VENDER, NI COMPRAR, NI MASTICAR CHICLE. El chicle es el peor enemigo de los maestros, quién sabe por qué. Si a uno lo pillan haciendo una bomba de chicle o, simplemente, saboreando ese delicioso dulce, le arman un escándalo igual al que forman cuando suspenden a un estudiante por mala conducta.

✓ ¿Por qué los estudiantes de quinto grado llegaron a la decisión de esconder los chicles en el huerto?

✓ ¿Creció el árbol en un periodo de tiempo normal?

✓ ¿Causó conmoción el crecimiento del árbol? ¿Por qué?

✓ Si el árbol siguiera creciendo, ¿qué entiendes que podría pasar?

EVALÚO Y CUESTIONO

☑ ¿Hicieron bien los niños del quinto grado en esconder los chicles en el huerto? ¿Por qué?

☑ ¿Qué consecuencias positivas o negativas trajo el crecimiento del árbol a la escuela? Explica.

☑ ¿Crees que los estudiantes debieron haber confesado el verdadero origen del árbol? ¿Por qué?

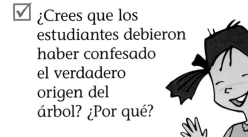

DOY LO MEJOR DE MÍ

Educación ambiental

A Leonor le gusta comer dulces en el patio de su casa. Luego de comérselos, le gusta quedarse un rato en la hamaca. Para no tener que ir hasta el zafacón a botar las envolturas de los dulces, las echa todas en el piso. Cuando se levanta para irse, hace un hueco en la tierra y esconde las envolturas allí, para que sus padres no la regañen.

● Contesta:

• ¿Crees que Leonor muestre preocupación por el ambiente? ¿Por qué?

Aunque pase un poco de trabajo, a mi planeta lo mantendré a salvo.

Las palabras compuestas

Mundo Deportes

Cupón de descuento

Con la compra de $50.00 o más, recibirás un 10% de descuento en las clases de **balompié** y **baloncesto**.

Válido hasta 31/12/2009, solamente en Mundo Deportes.

000000000012345

● Contesta:

a. ¿Qué palabras se destacan en el cupón?

b. ¿Qué tienen en común esas palabras?

c. En estas palabras, ¿se encuentran los significados de las palabras que las componen?

Construimos palabras compuestas al unir dos palabras simples o más.

Las **palabras simples** son aquellas que no provienen de otra palabra. Se forman por un solo lexema o raíz y tienen un significado determinado.

Ejemplos:

✓ cama   ✓ rompe   ✓ maleta

✓ casa   ✓ cabeza   ✓ árbol

✓ retrato   ✓ brisa   ✓ amor

A veces, al unir las palabras simples para formar una compuesta, las palabras originales sufren cambios.

Ejemplos:

✓ boca + abierta = *boquiabierta*

✓ pelo + rojo = *pelirrojo*

✓ alto + bajo = *altibajo*

✓ balón + pie = *balompié*

✓ agrio + dulce = *agridulce*

Las **palabras compuestas** se forman por la unión de dos palabras simples o más. Cuando se forma la palabra compuesta, la palabra nueva tiene un significado propio.

Ejemplos:

✓ *cumple + años = cumpleaños*

✓ *diez + y + seis = dieciséis*

Las palabras compuestas pueden formarse de varias maneras:

- sustantivo + sustantivo

Ejemplos:

✓ *bocacalle*   ✓ *telaraña*

- adjetivo + sustantivo

Ejemplos:

✓ *mediodía*   ✓ *pelirrojo*

- verbo + sustantivo

Ejemplos:

✓ *sacacorchos*   ✓ *girasol*

- adjetivo + adjetivo

Ejemplos:

✓ *agridulce*   ✓ *altibajo*

- verbo + verbo

Ejemplos:

✓ *paracaídas*   ✓ *hazmerreír*

EN MI LIBRETA...

1 Forma palabras compuestas utilizando estas palabras simples:

- diez
- lava
- video
- hoja
- pelo
- platos
- negro
- lata
- cámara
- ocho

2 Escribe tres palabras compuestas que conozcas. Luego, escribe una oración con cada una de ellas.

3 Inventa dos palabras compuestas. Escríbelas y explica su significado.

SE DICE ASÍ...

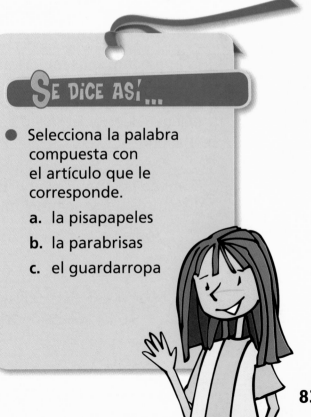

- Selecciona la palabra compuesta con el artículo que le corresponde.

a. la pisapapeles
b. la parabrisas
c. el guardarropa

83

Espigas del lenguaje

El núcleo del sujeto y el sujeto tácito

● Contesta:

a. ¿Quién vende chicles?

b. ¿Cuáles son de la fábrica de Cheo?

c. ¿Quién quiere dos chicles?

Núcleo del sujeto	Es la palabra más importante del sujeto. Puede ser un sustantivo, un pronombre o un adjetivo dentro del sujeto en la oración.	**Ejemplo:** *Los <u>chicles</u> son de todos* (sustantivo) *los sabores.*
Sujeto tácito	El sujeto no aparece explícita o directamente en la oración.	**Ejemplos:** *¡Vendo chicles!* (Sujeto tácito: yo) *Son de la fábrica de Cheo.* (Sujeto tácito: los chicles)

Para identificar el sujeto tácito, debemos fijarnos en el verbo de la oración y preguntarnos quién ejecuta la acción.

84

El núcleo del predicado

Querido diario:

Hoy **fue** un día muy especial en el campamento. Por la mañana, todos nos **levantamos** temprano para el desayuno. **Comí** unas tostadas francesas y un jugo de manzana. Luego, **jugamos** un rato por el bosque. Algunos niños **jugaron** bajo la sombra de un árbol. De repente, ¡**empezó** una lluvia de chicles! Todos **estiraron** sus camisas. ¡Querían **guardar** los chicles! ¡**Fue** genial!

Alberto

● Contesta:

a. ¿Bajo qué clasificación caen las palabras destacadas?

b. ¿En qué parte de la oración aparecen estas palabras: en el sujeto o en el predicado?

El verbo es el **núcleo del predicado**, y, por esta razón, es su palabra más importante. Debes recordar que el verbo es la palabra que expresa la acción del sujeto. El núcleo del predicado siempre debe estar presente y debe cumplir con dos condiciones:

• Siempre es un verbo conjugado.

Ejemplo: *Comí unas tostadas francesas y un jugo de manzana.*

    núcleo
    del predicado

• Siempre concuerda en número y persona con el núcleo del sujeto.

Ejemplo: *Algunos niños jugaron bajo la sombra de un árbol.*

    núcleo   núcleo
    del sujeto del predicado

85

En mi libreta...

El núcleo del sujeto, el sujeto tácito

1 Escribe el núcleo del sujeto.

- Los perritos duermen en el patio.
- Adela sacó buenas notas.
- Los maestros suspendieron las clases.
- El árbol mide seis pies.
- La casa amarilla tiene tres pisos.

2 Señala las oraciones que tengan sujeto tácito.

- Miguel y Arturo no comen chicle.
- Ellos sembraron un árbol.
- Voy a cuidar a mi hermanito.
- No hicieron la asignación.

El núcleo del predicado

- Subraya el predicado en las siguientes oraciones. Luego, identifica el núcleo de cada una.

  - Los estudiantes fueron a la Feria del Libro.
  - Sara y Ariel son hermanos.
  - Natalia juega con su gato en el patio.
  - Ellos gritaron de alegría al ganar el juego.
  - Marina y Gabriela compran helados de fresa.
  - Sebastián nada en la piscina.

> Recuerda que el núcleo es la palabra central del sujeto y del predicado.

Taller de Gramática

- Únete a un compañero. Uno debe escribir tres oraciones con sujeto y predicado e identificar el núcleo de ambos, sin decirle las respuestas a su compañero. Luego, el encargado de escribir las oraciones debe dictarlas al otro, para que las escriba e identifique lo mencionado anteriormente. Al finalizar, compartan las respuestas entre ambos y preséntenlas en la clase.

La coma, y el punto y coma

INSTRUCCIONES:

1. Busca un papel, blanco, amarillo o rosado; unas tijeras, un lápiz y una regla.

2. Dibuja varias líneas rectas en el papel.

3. Dobla en cada línea, corta y pega las esquinas de cada pedazo.

● Contesta:

 a. ¿Para qué se utilizan las comas en el texto?

 b. ¿Para qué se utiliza el punto y coma?

AHORA SÉ QUE...

La **coma** (,) indica una pausa breve para:

✓ separar las palabras o los elementos de una enumeración. En estos casos, no se pone coma delante de la *y*.

 Ejemplo: *Doble en cada línea, corte y pegue.*

El **punto y coma** (;) se usa para:

✓ separar los elementos de una enumeración cuando alguno de ellos ya lleva coma.

 Ejemplo: *Roberto, el hermano de Juan; Leticia, la prima de Lola; y Jorge son mis amigos.*

EN MI LIBRETA...

● Lee el fragmento. Luego, añade coma y/o punto y coma, según sea necesario.

Pedro e Ibrahim hicieron las paces. Ambos planificaron una fiesta para celebrarlo. Ibrahim compró frutas verduras y carnes. Pedro llamó a Diana la hermana de Iván a Vilma la prima de Carla y a Emilio el tío de Aldo para que le ayudaran a decorar y arreglar la casa.

SE ESCRIBE ASÍ...

La coma también se utiliza para aislar expresiones como: en efecto, es decir, por ejemplo, sin embargo.

Los peces son animales acuáticos, es decir, viven en el agua.

Cuando estas expresiones introducen oraciones largas, se utiliza el punto y coma delante de ellas.

La noche estuvo despejada; sin embargo, todos los pronósticos señalaban que llovería.

● Escribe una oración con cada uno de los casos.

Rumpelstikin

Un día, el molinero se encontró con el rey. Para llamar su atención, le dijo:

—¡Mi hija es tan hábil y diestra! Sabe hilar tan bien, que convierte las hierbas secas en oro.

Impresionado, el rey le ordenó:

—Llévame a tu hija al palacio. Quiero conocerla.

Al otro día, el molinero llevó a su hija al palacio. El rey la trasladó a una habitación llena de hierbas secas y le dijo:

—Ponte a hilar todas estas hierbas secas. Si mañana temprano no hay oro, morirás.

El rey se marchó. La hija del molinero se puso a llorar copiosamente. No sabía convertir las hierbas secas en oro. De repente, se abrió la puerta y entró un hombrecillo.

—¡Buenas noches! ¿Por qué lloras? —preguntó él.

—Tengo que hilar estas hierbas secas y convertirlas en oro. Si no lo hago, moriré —dijo la muchacha.

—Si te ayudo, ¿que me darás? —expresó el hombrecillo.

—Te daré mi collar y mi sortija.

El hombrecillo, en un ¡zas!, convirtió las hierbas en oro. La hija del molinero lo abrazó y, antes que desapareciera, le preguntó su nombre.

—Mi nombre es Rumpelstikin.

Los hermanos Grimm
(*alemanes*)
(*adaptación*)

En un **cuento fantástico**, la acción transcurre en un mundo como el nuestro y, de repente, ocurre un hecho sobrenatural que no se puede explicar.

A pesar de que está basado en elementos de la realidad (como, por ejemplo, un secreto o un misterio), los hechos se presentan de forma asombrosa. Esto le provoca al lector sentimientos de inquietud y de sorpresa.

En este género, los personajes no distinguen lo real de lo irreal, ya que todo lo imposible es posible. Ellos viven en un espacio absurdo, en donde se siguen normas absurdas.

El cuento fantástico, al igual que el tradicional, cuenta con un inicio o acontecimiento inicial, un desarrollo y un desenlace.

Ahora, lo hago yo

Me organizo

● Utiliza tu imaginación y escribe un cuento fantástico en tercera persona. Sigue estos pasos:

1 Repasa el cuento fantástico "Un árbol prohibido" de este capítulo, para que tengas una idea de cómo escribir tu cuento.

2 Crea los personajes y la situación sobrenatural.

3 Crea un conflicto (problema) y su solución. Luego, haz una lista de los eventos que sucederán en el cuento, desde el principio hasta el final.

Lo escribo

● Redacta el borrador de tu cuento fantástico, a partir de estas preguntas:

✓ ¿Dónde se desarrollará la trama?

✓ ¿Quién será el narrador en tercera persona?

✓ ¿Cuál será el hecho sobrenatural?

✓ ¿Cuál será el desenlace?

Me corrijo

● Lee cuidadosamente tu cuento fantástico y determina si cumple con los siguientes criterios:

✓ ¿El hecho sobrenatural ocurre en un lugar real?

✓ ¿Está escrito en tercera persona?

Espacio de tertulia

Presento mi cuento fantástico

Ser escritora es maravilloso. Al escribir, puedo transformar la vida cotidiana con algún suceso fantástico. En el papel, los personajes cobran vida y, con sus personalidades únicas, hacen que lo fantástico traspase los límites de la imaginación. Los personajes construyen gran parte del cuento. Junto con los sucesos asombrosos, crean un mundo más allá del nuestro. Al leer en voz alta las narraciones y los diálogos de los personajes, siento que les revelo a los demás un mundo distinto, lleno de gente extraordinaria por conocer.

Preparación

1 Relee el cuento fantástico que escribiste. Concéntrate en los sucesos, los personajes y las descripciones.

2 Piensa en cómo te gustaría que te narraran un cuento fantástico, para que puedas hacer una narración efectiva.

3 Dibuja las escenas más importantes del cuento.

Presentación

● Narra tu cuento fantástico frente al grupo. Sigue estos consejos:

✓ Coloca tus dibujos en un lugar visible.

✓ Al narrar, cuida la entonación de los diálogos y de las narraciones, ya que debes expresar con claridad los sentimientos.

Autoevaluación

✓ ¿Logré capturar en los dibujos los sucesos más importantes?
❏ Lo hice bien. ❏ Puedo mejorar.

✓ ¿Narré los sucesos en orden?
❏ Lo hice bien. ❏ Puedo mejorar.

✓ ¿Utilicé una buena entonación en las narraciones y en los diálogos?
❏ Lo hice bien. ❏ Puedo mejorar.

✓ ¿Capturé la atención de mis compañeros con la entonación que utilicé?
❏ Lo hice bien. ❏ Puedo mejorar.

Punto de encuentro

El chicle y su origen

Se cree que en el año 50 a.C., los antiguos griegos mascaban resina tomada de los árboles. Hoy en día, mascamos chicle. La goma de mascar se deriva de la savia de la sapadilla, un árbol que crece en los bosques tropicales de América Central. La savia es un líquido que circula por las plantas y de la cual ellas toman sus nutrientes. Con el tiempo, a causa de la poca cantidad que hay de estos árboles, en proporción con la demanda de chicle, se utilizan otras plantas que producen látex para fabricarlo.

1 Subraya con una línea el núcleo del sujeto y, con dos, el núcleo del predicado en las siguientes oraciones:

- Los antiguos griegos mascaban resina tomada de los árboles.

- La goma de mascar se deriva de la savia de la sapadilla.

2 Coloca las comas, y los punto y coma que falten en el siguiente texto, según sea necesario:

A Diana a Israel y a mí nos encantan los chicles. A Diana le gusta el chicle de menta a Israel el de uva y a mí el de fresa. Otros fanáticos del chicle son Mario, a quien le gusta el de canela Pedro a quien le fascina el de limón y Fabiana que siempre compra de manzana.

3 Por muchos siglos, el ser humano ha consumido chicle desde sus formas más primitivas hasta sus incontables variedades de sabores en la actualidad. ¿Por qué a la gente le gusta tanto masticar chicle? Explica.

© Santillana - Prohibida la reproducción.

¡A pensar!

La cestería

La cestería es una de las artes más antiguas que existe en el mundo. Consiste en confeccionar y crear tejidos para la fabricación de canastas, cestas, envases y otras artesanías.

Para ella, se utilizan fibras naturales de hojas, ramas, raíces y troncos. En la actualidad, también se usa la materia sintética, como el plástico o las fusiones metálicas.

Existen cuatro tipos de cestería: el arrollado, el trenzado, el torcido y el mimbre.

Los artesanos puertorriqueños también practican este arte. Algunas de sus confecciones son los sombreros, las alfombras y los muebles.

APLICAR

● Contesta:

   a. Examina y discute los siguientes datos:

     • La cestería solo lleva pocos años de existencia.

     • Gracias a la cestería, solo se pueden fabricar canastas.

     • La única materia que se utiliza en el arte de la cestería es la sintética.

     • Solamente existen dos tipos de cestería.

     • Los artesanos puertorriqueños practican la cestería.

   b. Menciona tres ejemplos de materiales utilizados en la cestería.

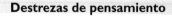

ANALIZAR

● Clasifica, en la siguiente tabla, los materiales utilizados en la cestería.

Fibras naturales	Materia sintética

SINTETIZAR

● Resume la importancia que tienen los recursos naturales en la cestería.

Mi ambiente

En la cestería se utilizan varias partes de los árboles como las palmas, las raíces, los bejucos, los cogollos, la corteza y las hojas, para obtener fibras vegetales. Estas son la materia prima que se utiliza en dicho arte.

Los árboles, a la vez, son vitales para conservar el ambiente. Aunque podemos contar con ellos para ambas cosas, su uso debe ser prudente. Para no perderlos, debemos protegerlos y sembrarlos.

Sé que aprendí

1 Selecciona los pares de palabras que formen palabras compuestas, en el siguiente revoltillo de palabras. Luego, escoge cuatro palabras de las que formaste y escribe una oración con cada una de ellas.

pasa   saca   gira

porta   noche   tío   super

latas   manos   rompe   vivo

abre   sol

cabezas   aviones   mercado

puntas   buena

2 Crea tu propio poema syntu utilizando sustantivos y oraciones con sujeto tácito. Sigue el modelo:

Himno
Palabra, nombre del objeto, lugar, etc.

Suena siempre en el alma
Observación del objeto usando uno de los sentidos

Despierta en mi gran amor e identidad
Expresión de algún sentimiento o de acción sentimental a la palabra inicial

Viste de honor a mi nación
Observación del objeto usando cualquier sentido distinto del inicial

Patria
Palabra que sea sinónima de la usada en el primer verso

3 Escribe dos oraciones e identifica en cada una el predicado y su núcleo. Luego, dibuja un objeto que tenga una parte importante que puedas relacionar con el núcleo del predicado. También, debe tener otra parte que puedas relacionar con el predicado. Sigue el ejemplo:

núcleo

El joven llegó tarde ayer.

predicado

4 Completa los siguientes organizadores gráficos:

La coma	**El punto y coma**
Función:	Función:
Ejemplos:	Ejemplo:

DiARio REFLEXiVO

- Contesta:

   a. ¿Entiendes lo que es el sujeto tácito? Explica.

   b. ¿Cuál es la palabra más importante del sujeto? ¿Y la del predicado?

   c. ¿Conoces la importancia del uso de la coma, y del punto y coma?

   d. Además de las palabras compuestas que aprendiste en este capítulo, ¿conoces otras? ¿Puedes mencionarlas?

Fideicomiso de Conservación de Puerto Rico

Reserva Natural Hacienda La Esperanza

- Fideicomiso de Conservación
  - ✓ misión
  - ✓ terrenos adquiridos

- Historia de la Hacienda La Esperanza
  - ✓ características del terreno
  - ✓ propietarios
  - ✓ utilización de las tierras

- Valor histórico de la hacienda

¿Qué es?

El Fideicomiso de Conservación de Puerto Rico es una institución privada, sin fines de lucro, que tiene como misión proteger y enaltecer los recursos y las bellezas naturales de la Isla. El Fideicomiso cumple esta misión, principalmente, mediante la adquisición y donación de áreas naturales. Hasta el momento, este ha logrado proteger sobre 28,000 cuerdas de terrenos en la Isla, entre las que se destacan las 2,278 de la Reserva Natural Hacienda La Esperanza, en Manatí.

La Hacienda La Esperanza —convertida luego en reserva natural—, ha sido la mayor adquisición del Fideicomiso de Conservación. Esta cuenta con magníficas tierras de labranza, parte de un amplio llano aluvial, más de tres kilómetros de costa con dunas cementadas y playas a orillas del océano Atlántico. En sus inicios, la hacienda era una las plantaciones de azúcar más desarrolladas, extensas y acaudaladas de la segunda mitad del siglo diecinueve.

El primer propietario de la Hacienda La Esperanza, hacia la década del treinta del siglo diecinueve, fue Fernando Fernández, un militar español radicado en Puerto Rico desde finales del siglo dieciocho. Más tarde, los terrenos pasaron a manos de su hijo, José Ramón Fernández y Martínez, quien, cuarenta años más tarde, adquirió dos mil cuerdas de terreno adicionales. Durante esa época, José Ramón se convirtió en un hombre muy influyente, que llegó a ser presidente del Partido Conservador de Puerto Rico (1871), fundador del primer banco de Puerto Rico (Sociedad Anónima de Crédito Mercantil) y Marqués de la Esperanza, título otorgado por la Corona Española.

La Hacienda La Esperanza comenzó operaciones como hacienda azucarera a finales de la década del cuarenta del siglo diecinueve. Aunque la hacienda prosperó, la industria azucarera puertorriqueña enfrentó presiones del mercado internacional y, en el ámbito local, escasez de mano de obra y de capital. Para enfrentar esta crisis, el Marqués decidió adquirir una moderna máquina de vapor y, así, sofisticar y aumentar la producción de azúcar en la hacienda. La medida resultó ser efectiva: para la década del setenta del siglo diecinueve, la Hacienda La Esperanza producía entre quinientas y seiscientas toneladas de azúcar por cosecha.

Algunos años más tarde, la hacienda se vio amenazada por la caída de precios del azúcar y el aumento de sus tarifas, lo que, sumado a las deudas del marqués, terminó por llevar a este a traspasar la Hacienda La Esperanza a Wenceslao Borda, en 1891. Borda continuó con el cultivo de caña en la hacienda, pero alquiló los terrenos a distintos individuos o familias. Con el tiempo, la mayoría de las tierras se utilizaron para el pastoreo de ganado.

Como tal vez imagines, al visitar la Hacienda La Esperanza, podrás conocer acerca de la maquinaria que empleaban las haciendas azucareras, sus dueños y los esclavos que en ella vivieron y trabajaron.

Sabías que...

La máquina de vapor de la Hacienda La Esperanza, que data de 1861, es la única de ese tipo que existe en el mundo; razón por la que es parte del Registro Nacional de Lugares Históricos del Servicio de Parques Nacionales, de los Estados Unidos. Esta maquinaria consiste en un molino de azúcar impulsado por vapor.

¡Vamos a hablar!

- ¿Dónde está la familia?
- Es evidente que la familia y el mesero son de distintas nacionalidades. ¿Cuáles crees que puedan ser?
- ¿Ha creado alguna dificultad esta diferencia de nacionalidades? ¿Cuál? ¿Cómo lo sabes?
- ¿Alguna vez has tenido problemas para comunicarte con alguien? ¿Por qué?

En este capítulo...

✓ identificarás los diminutivos, los aumentativos y los despectivos.

✓ aprenderás a diferenciar el predicado simple del predicado compuesto.

✓ conocerás cómo utilizar correctamente las comillas y los paréntesis, al escribir.

✓ conocerás las características de la anécdota.

✓ escribirás una anécdota.

✓ presentarás y compartirás tu anécdota con tus compañeros.

Ventana al verde

● Reflexiona:

En las antiguas civilizaciones de Grecia y de Roma, además de la madera, se usaban el metal y el mármol para construir mesas.

- ¿Qué sugieres para no abusar de los recursos naturales al fabricar mesas?

Una bebida helada

*(La escena ocurre en un restaurante elegante. Entra un cliente y enseguida se acerca el mesero, con mucha **urbanidad** y amabilidad).*

MESERO. *(Le da una mesa).*—¿Le agrada esta, señor? Tome asiento.

CLIENTE.—Gracias, pero preferiría tomar alguna otra cosa.

MESERO.—¿Qué bebida quisiera?

CLIENTE.—La verdad es que no sé…

MESERO.—¿Quiere que le traiga una lista?

CLIENTE.—¿Y qué voy a querer? ¿Que me traiga una bebida que no esté lista? Si me va a traer una bebida, mejor tráigame una que esté lista, porque no puedo pasarme todo el día aquí esperando.

MESERO. *(Complaciente).*—Sí, sí, claro, tiene razón. ¿Desea que le traiga una bebida helada?

CLIENTE.—¿Qué dice?

MESERO.—Digo que si desea que le traiga una bebida helada.

CLIENTE. *(Con fastidio).*—¿Pero usted por quién me toma? ¿Cómo voy a querer que me traiga alguna bebida el hada? ¿De qué hada me está hablando?

• **urbanidad:** cortesía en el trato con los demás.

MESERO.—Pero, señor, yo le pregunté si…

CLIENTE. *(Encrespado).* —Yo no soy sordo y escuché muy bien lo que usted me preguntó. Y no quiero que me traiga una bebida el hada.

MESERO.—Disculpe, señor, usted dijo que tenía mucha sed, y yo, justamente, le ofrecí algo para apagar su sed.

CLIENTE.—¿Para pagar mi sed?

MESERO.—Para apagar su sed.

CLIENTE.—¡Yo no necesito que usted me pague nada, y mucho menos, mi sed! ¡Si yo vengo aquí a tomar algo, es porque me lo puedo pagar!

MESERO.—Sí, sí, claro. Y para nosotros es fundamental el servicio a nuestros clientes. Por eso es tan bueno el servicio…

CLIENTE.—¿Bueno el ser **vicio**? Mire, eso sí que no lo voy a aceptar. *(Se pone de pie y se dirige a la puerta).* El ser vicio es malo, aquí y en cualquier parte. ¡Si usted quiere ser vicio para los clientes, haga lo que quiera, pero yo aquí no me quedo ni un minuto más!

Adela Basch
(argentina)
(adaptación)

En las *Leyendas Insólitas* de Kalman Barsy ocurren cosas difíciles de creer. *El sacristán y su verdugo* devela los secretos de los antepasados de un señor de clase alta, que ordena el escudo de armas de su familia. En *Una visita de ultratumba*, el lector se enterará de cómo se recuperó de su tristeza, al quedar viuda, una de las hijas de don Juan Ponce de León.

- **encrespado**: enojado, enfurecido.
- **vicio**: mala costumbre, hábito de obrar mal.

Me informo

● Completa la siguiente ficha de lectura:

Ficha de lectura

a. El texto leído es una _____.

b. Toda la acción se desarrolla en _____.

c. Los personajes son _____ y _____.

d. El mesero le pregunta al cliente si desea una _____.

e. El cliente entendió que si quería que la bebida se la llevara el _____.

f. Al final, el cliente decide _____.

Interpreto

● Identifica qué personaje dijo cada oración que está dentro de cada vaso. Luego, menciona la actitud o sentimiento que demostró cada personaje a través de lo que dijo.

—¿Y qué voy a querer? ¿Que me traiga una bebida que no esté lista?
Personaje:
_____
Actitud:
_____

—Sí, sí, claro. Y para nosotros es fundamental el servicio a nuestros clientes.
Personaje:
_____
Actitud:
_____

—¡Si usted quiere ser vicio para los clientes, haga lo que quiera, pero yo aquí no me quedo ni un minuto más!
Personaje:
_____
Actitud:
_____

Examino

✓ ¿Cuál era la intención del mesero y cómo trató al cliente? Explica.

✓ ¿Desde qué momento surge el conflicto entre el cliente y el mesero?

✓ ¿Por qué surgió el malentendido entre el mesero y el cliente?

✓ ¿Cuál fue la reacción del cliente ante el malentendido? ¿Qué hizo al final de la obra?

EVALÚO Y CUESTIONO

☑ ¿Tenía derecho el cliente a molestarse con la situación? ¿Crees que su actitud fuera la mejor? ¿Por qué?

☑ ¿Crees que alguno de los personajes podría haber hecho algo para comunicarse de forma eficaz? Explica.

☑ Si fueras testigo de un malentendido como ese, ¿te involucrarías para ayudar? ¿Qué harías?

DOY LO MEJOR DE MÍ

Educación moral y cívica

Roberta y Mateo fueron a un restaurante con sus padres. Cuando la mesera los atendió, ordenaron lo que querían de comer. Luego, la llamaron varias veces más, ya que cambiaban de opinión y querían ordenar otro plato. Mientras comían, se limpiaban con el mantel y ensuciaban toda la mesa. Cuando la mesera llevó el postre, Roberta y Mateo le dijeron que sabía mal y que no servía.

● Contesta:

• ¿Cómo se comportaron Roberta y Mateo? ¿Qué opinas sobre ese comportamiento?

En todo momento, tengo buenos modales y soy cortés con la gente.

Los aumentativos, los diminutivos y los despectivos

Hoy la pasé mal. De camino a la escuela, me encontré con el **amigote** de Pepe y me empujó. Luego, un **perrazo** me persiguió por toda la **placita**.

● Contesta:

a. ¿En qué se diferencian las palabras destacadas en el mensaje de texto?

b. ¿Sabes de qué palabra se deriva cada una?

c. ¿Las has usado o escuchado alguna vez? ¿Qué función tienen?

Los sufijos -ote y -ota se utilizan no solo en los aumentativos, sino, también, en los despectivos.

Los **aumentativos** son palabras que expresan mayor tamaño o intensidad que su palabra primitiva. Estos no cambian el significado de las palabras de las que se derivan. Al utilizarlos se aumenta el tamaño del objeto o del ser al que se refiere. Para formarlos, se añaden los siguientes sufijos: *-ón, -ona, -azo, -aza, -ote, -ota*.

Ejemplos:

✓ *hombre + (-ón) = hombrón*

✓ *casa + (-ona) = casona*

✓ *perro + (-azo) = perrazo*

✓ *boca + (-aza) = bocaza*

✓ *libro + (-ote) = librote*

✓ *muchacha + (-ota) = muchachota*

Los **diminutivos** son palabras que expresan menor tamaño o intensidad que su palabra primitiva. Para construirlos, se agregan los siguientes sufijos: *-cito, -cita, -ito, -ita, -in, -ina, -illo, -illa, -uelo, -uela*.

Ejemplos:

✓ *plaza + (-ita) = placita*

✓ *perro + (-ito) = perrito*

✓ *chica + (-ina) = chiquitina*

✓ pan + (-illo) = panecillo

✓ pollo + (-uelo) = polluelo

Los **despectivos** son palabras que indican desprecio, algo malo o de mala calidad. Estas palabras se forman con los siguientes sufijos: -acho, -astro, -astra, -chón, -ejo, -illo, -ote, -ota, -ucha, -ucho, -uela, -uelo, -uza.

Ejemplos:

✓ pueblo + (-acho) = poblacho

✓ madre + (-astra) = madrastra

✓ rica + (-chón) = ricachón

✓ tipo + (-ejo) = tipejo

✓ pez + (-illo) = pececillo

✓ amigo + (-ote) = amigote

✓ casa + (-ucha) = casucha

✓ calle + (-uela) = callejuela

✓ gente + (-uza) = gentuza

EN MI LIBRETA...

1 Identifica el diminutivo de cada palabra.

a. conejo
- conejote
- conejito

b. oso
- osito
- osote

c. barco
- barquito
- barcaza

d. piedra
- piedrota
- piedrita

2 Determina si cada palabra es un aumentativo o un despectivo.

a. animalejo

b. pajarraco

c. poetastro

d. papelote

e. cucharón

SE DICE ASÍ...

● Selecciona qué diminutivo de la palabra "mesa" se utiliza en Puerto Rico.

a. mesilla

b. mesita

c. ambas

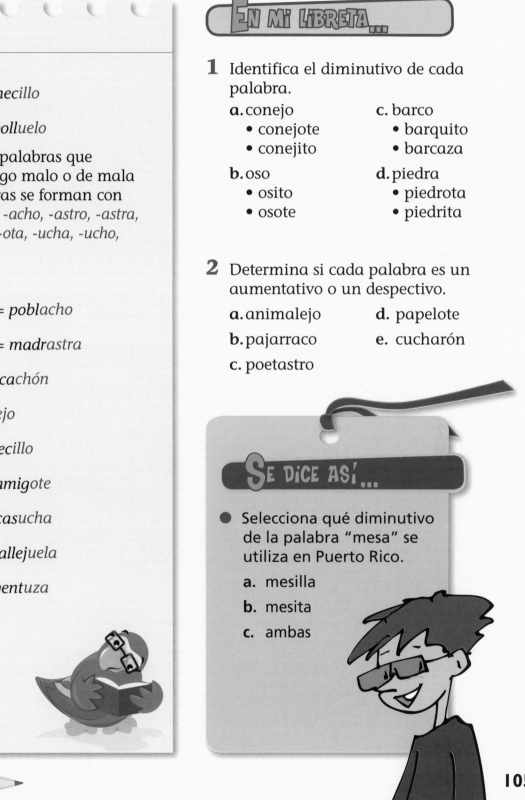

El predicado simple

¿**Tienes** sed?
¡**Apágala** con bebidas El Hada!
Contienen ricas frutas naturales.
¡Te **encantarán**!
Bebidas El Hada
El único vicio bueno.

- Contesta:

    a. Las palabras destacadas en el anuncio, ¿forman parte del sujeto o del predicado? ¿Por qué?

    b. En cada oración, ¿cuántos verbos tiene cada predicado?

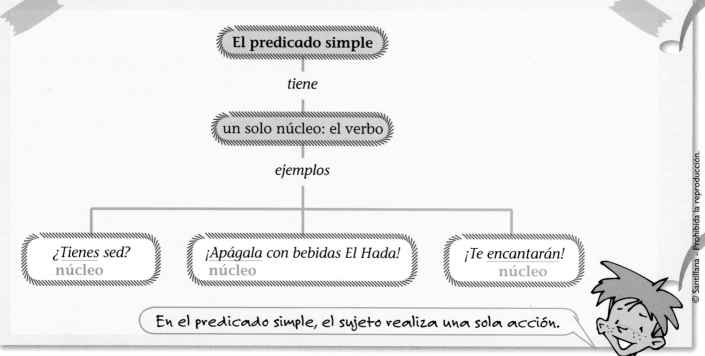

El predicado simple

tiene

un solo núcleo: el verbo

ejemplos

| ¿*Tienes* sed? | ¡*Apágala* con bebidas El Hada! | ¡Te *encantarán*! |
| núcleo | núcleo | núcleo |

En el predicado simple, el sujeto realiza una sola acción.

El predicado compuesto

¿Qué hiciste en el fin de semana?

Fui a comer y a pasear con mis papás. ¿Y tú?

Mis hermanos y yo fuimos al parque, corrimos bicicleta y comimos piraguas.

● Contesta:

a. De todas las oraciones de la viñeta, ¿hay alguna con más de un núcleo en su predicado? ¿Cuál o cuáles?

b. Si un predicado tiene más de un núcleo, ¿es simple? ¿Por qué?

El predicado compuesto	
definición:	siempre tiene dos núcleos o más.
ejemplos:	*Fui a comer y a pasear* con mis papás. 　núcleo　　　núcleo *Fuimos* al parque, *corrimos* bicicleta y *comimos* piraguas. núcleo　　　　núcleo　　　　núcleo

Si el sujeto realiza más de una acción, el predicado es compuesto.

107

En mi libreta...

El predicado simple y el compuesto

1 Subraya el predicado y encierra en un círculo el/los núcleo/s. Luego, clasifícalo como simple o compuesto.

- ¡Corran y escóndanse!
- Los estudiantes del quinto grado estudiaron para el examen y lo pasaron.
- Esteban trabaja en el restaurante.
- El perro saltó y corrió con alegría.
- A Mariela le gustan las bebidas heladas.
- Raúl compró y envolvió el regalo.
- Rita desayunó en su casa.

2 Escribe tres oraciones con predicado simple y tres, con predicado compuesto, sobre unas vacaciones inolvidables que hayas tenido.

3 Busca oraciones con predicado simple y con predicado compuesto en la obra "Una bebida helada" de este capítulo. Luego, cópialas e identifica qué clase de predicado tienen. Encierra en un círculo sus núcleos.

> Recuerda que, para saber si un predicado es simple o compuesto, debes considerar cuántos núcleos tiene.

Taller de Gramática

- Identifica el núcleo del predicado de cada oración. Luego, úsalos para completar y descifrar el mensaje secreto.

  Tito y Manuel son primos.

  Necesito saciar mi apetito.

  Los estudiantes prefieren el chocolate.

Los jugos tropicales _____ buenos para _____ la sed en el verano. Por eso es que muchos los _____ en esa época tan calurosa.

Cuaderno págs. 40-43

Las comillas y los paréntesis

> Querida Abuelita:
>
> Ayer Mami me llevó al MAP (Museo de Arte de Ponce). Vi muchas pinturas, pero mi favorita fue "Dama a caballo" de José Campeche. Al verla, exclamé: "¡Qué pintura tan linda!". La preferida de Mami fue "Puesta del sol", de George Innes. ¡Nos divertimos mucho!
>
> Luego te escribo para contarte sobre las otras pinturas.
>
> Te quiere mucho,
>
> Ulises

● Contesta:

• ¿Para qué se utilizan las comillas y los paréntesis en la carta?

AHORA SÉ QUE...

Las **comillas** se usan para:

✓ encerrar citas de una persona.

Ejemplo: "¡Qué pintura tan linda!"

✓ citar el nombre de una obra de arte, un poema o un artículo de prensa.

Ejemplo: "Dama a caballo", "Puesta del sol"

Los **paréntesis** se usan para:

✓ aclarar fechas o lugares y explicar siglas.

Ejemplo: MAP (Museo de Arte de Ponce)

EN MI LIBRETA...

● Coloca las comillas o los paréntesis según sea necesario.

a. Patricia me dijo: Mañana no hay trabajo.

b. Horacio Quiroga 1878-1937 era un escritor uruguayo.

c. Mi pintura favorita es El grito, de Edvard Munch.

d. Yo estudié en la UPR Universidad de Puerto Rico.

SE ESCRIBE ASÍ...

Cuando escribimos palabras o expresiones extranjeras en una oración, las señalamos con las **comillas**.

Rogelio se comió el "hot dog".

Cuando queremos traducir o aclarar palabras las encerramos entre paréntesis.

Edith me dijo: "c'est la vie" (así es la vida).

● Haz una lista de diez expresiones extranjeras comunes.

Una peluda confusión

Una mañana, en el bosque, paseaba con mi tío por un camino lleno de árboles, plantas y flores. De pronto, escuchamos un sonido fuerte y profundo. Era una especie de ¡rrrffff!, y nuevamente ¡rrrfff! El sonido se repetía una y otra vez. Volteamos y vimos un animal de color marrón, peludo y grande, con apariencia de oso, que estaba entre los arbustos. ¡Mi tío y yo salimos corriendo! Corrimos, sin detenernos, hasta la cabaña en donde nos estábamos quedando. Durante todo el trayecto, gritamos "¡Un oso! ¡Un oso!"

Mi tía salió asustada de la casa y nos dijo: "¡No teman! ¡Volteen a ver!". Paramos de correr y miramos. Todos estábamos incrédulos.

Luego, ¡me reí muchísimo! ¿Saben por qué? Es que no era un oso, sino un perro grande, que parecía estar extraviado y asustado como nosotros. ¿Se imaginan a mi tío, tan grande y corriendo, pensando que era un oso? ¡Fue muy cómico!

Isabel Díaz Torres
(puertorriqueña)

La **anécdota** se clasifica como un texto narrativo. Es un relato o narración breve; cuya acción se fundamenta en hechos reales. Su propósito es narrar una realidad o algo curioso, divertido, raro o particular que nos ha ocurrido a nosotros o a otras personas. Usualmente, las anécdotas son humorísticas. Al igual que todo texto narrativo, su estructura tiene un inicio, un nudo y un desenlace.

Me organizo

● Escribe una anécdota. Sigue estos pasos:

1 Piensa y recuerda alguna experiencia curiosa que hayas tenido. También, puede ser algo que le haya ocurrido a alguien que conozcas.

2 Anota, en orden cronológico, los sucesos de lo que aconteció.

3 Describe, en cada suceso, cómo te sentiste.

Lo escribo

● Redacta el borrador de tu anécdota. Toma en cuenta lo siguiente:

✓ Escribe tu anécdota basándote en los eventos que anotaste.

✓ Incluye tus sentimientos en el transcurso de tu anécdota, tal y como los describiste.

✓ Usa frases de transición como estas en tu anécdota: *Un día..., Una vez..., Hace tiempo...; Primero..., Segundo..., Tercero...; De pronto..,. De repente...; Luego... Entonces..., Inmediatamente...*

Me corrijo

● Lee cuidadosamente tu anécdota y determina si cumpliste con los siguientes criterios:

✓ ¿Narraste, en una serie de sucesos, una experiencia graciosa o curiosa?

✓ ¿Describiste tus sentimientos?

✓ ¿Usaste frases de transición para la narración?

Espacio de tertulia

Presento mi anécdota

¡Me fascina narrar anécdotas! Yo pienso que, a través de ellas, podemos saber un poquito más sobre las personas y aquellos que las rodean. También es una manera de hacer amigos. Un día, mientras estaba en la sala de espera del dentista, le conté una anécdota mía a un niño que le tenía miedo al doctor. Se rio tanto, ¡que olvidó su temor! Desde entonces, se convirtió en mi mejor amigo. ¿Ves? ¡Ya eso es una anécdota! Te invito a que compartas la tuya con tus compañeros. A lo mejor, de ahí nace otra o, quizás, una amistad.

Preparación

1 Repasa la anécdota que escribiste. Presta atención a aquellos detalles que la hacen curiosa.

2 Memoriza lo que escribiste.

3 Identifica qué partes de la anécdota necesitan gestos y actuaciones.

Presentación

● Cuéntales tu anécdota a tus compañeros. Ten en cuenta lo siguiente:

✓ Nárrala con emoción. No temas en recrear partes graciosas.

✓ Mantén una buena postura, para demostrar seguridad y captar la atención.

Autoevaluación

✓ ¿Respeté las tres partes de la narración: acontecimiento inicial, nudo y desenlace, al contar mi anécdota? ❏ Lo hice bien. ❏ Puedo mejorar.

✓ ¿Mencioné quiénes participaron, qué ocurrió, dónde y cómo sucedió? ❏ Lo hice bien. ❏ Puedo mejorar.

✓ ¿Presté atención a las historias de mis compañeros? ❏ Lo hice bien. ❏ Puedo mejorar.

✓ ¿Utilicé el lenguaje corporal para que mi historia resultara más atractiva y graciosa? ❏ Lo hice bien. ❏ Puedo mejorar.

Las fracciones

Batida de frutas

Ingredientes:

1 taza de frambuesas

$\frac{1}{2}$ taza de fresas

$\frac{1}{2}$ taza de arándanos

2 $\frac{1}{2}$ tazas de leche

$\frac{3}{4}$ de taza de azúcar

10 cubos de hielo

Procedimiento:

Vierta todos los ingredientes en una licuadora. Luego, mézclelos hasta que el hielo quede bastante molido. Sírvalo en un vaso y disfrútelo.

1 Completa las oraciones con las fracciones de las medidas de los ingredientes. Utiliza la receta como referencia. Luego, identifica si el predicado de cada oración es simple o compuesto.

- A la batida le eché _____ taza de fresas.

- En la licuadora, eché y mezclé _____ tazas de leche y _____ de taza de azúcar.

2 Lee el siguiente texto y coloca los paréntesis en su lugar correspondiente.

Las batidas de frutas muy populares en el verano son una manera natural de refrescarnos. Aunque el agua que también es saludable y necesaria satisface nuestra sed, a veces, necesitamos otro tipo de líquido para dominar el calor.

3 Las fracciones no solo son útiles para las medidas, a la hora de preparar una receta, sino que, también, lo son en otras áreas. Reflexiona y menciona otros usos que les puedas dar a las fracciones. Explica con ejemplos.

¡A pensar!

El cine

El cine es un arte que narra historias o sucesos. Consiste en proyectar una secuencia de fotografías de forma rápida y sucesiva para crear la impresión de movimiento.

Este arte nació en Francia, en el 1895, cuando los hermanos Lumière proyectaron públicamente una secuencia de la salida de los obreros de una fábrica.

En sus inicios, las obras cinematográficas carecían de sonido y color. Con la creación de nuevas técnicas, se lograron narrativas mayores, sonido para escuchar diálogos o música y distintos usos del color.

Actualmente, las nuevas tecnologías han provocado el desarrollo técnico del cine.

COMPRENDER

- Contesta y explica:

    a. ¿En qué consiste la técnica del cine?

    b. ¿Cuál fue el aporte de los hermanos Lumière al cine?

    c. ¿Qué se logró con la creación de nuevas técnicas?

    d. Lee el siguiente fragmento del texto. Luego, da ejemplos que apoyen esos datos. No olvides explicarlos.

    Actualmente, las nuevas tecnologías han provocado el desarrollo técnico del cine.

APLICAR

● Lee el siguiente fragmento. Luego, contesta las preguntas.

El cine no solo trata temas de ficción, sino que, también, se ha convertido en un medio de expresión de nuestra realidad. Además de reproducir de manera fiel y realista a los actores y los lugares gracias a las nuevas tecnologías, denuncia los problemas que afectan a nuestra sociedad.

a. ¿Estás de acuerdo con que el cine retrata de manera fiel y realista a los actores y los lugares? ¿Por qué?

b. ¿Qué problemas de la sociedad ha denunciado el cine y en qué películas?

ANALIZAR

● Menciona tu película favorita. Luego, contesta las siguientes preguntas:

a. ¿Cuál es el título de la película? ¿Por qué es tu película favorita?

b. ¿Cómo son sus personajes principales? Describe sus sentimientos.

c. ¿Qué lección aprendiste de la película?

Mi ambiente

La presencia del medio ambiente en el cine se refleja en las películas, cuyas acciones se desarrollan en un escenario natural, en filmes de temas ambientales y en documentales de concienciación ecológica.

La iluminación natural es un ejemplo de ello. Con esta, se determina la cantidad de luz artificial que se usará, para crear mayor efecto o definición de la imagen. Sin la iluminación natural, muchas escenas memorables del cine no habrían tenido el mismo impacto.

Sé que aprendí

1 Busca en la sopa de letras los aumentativos y los despectivos de las palabras en el recuadro. Luego, escribe una oración con cada uno de ellos.

c	a	s	u	c	h	a	d	b
p	n	h	j	l	n	o	q	s
u	i	x	w	m	j	c	q	z
w	m	p	z	b	b	d	p	d
n	a	r	i	z	o	t	a	x
o	l	m	h	j	c	l	m	i
p	u	a	m	n	a	k	i	m
r	c	j	i	g	z	e	g	a
x	h	s	c	a	a	x	o	c
a	o	c	x	v	t	r	t	p
z	m	o	k	i	g	e	e	c
p	f	l	a	c	u	c	h	o

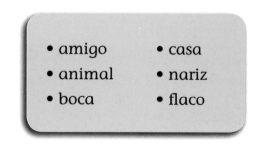

- amigo
- casa
- animal
- nariz
- boca
- flaco

2 Completa el siguiente párrafo con los verbos que le correspondan. Luego, identifica el predicado de cada oración como simple o compuesto.

Hoy ▬▬▬▬▬ un sueño muy gracioso. ▬▬▬▬▬ que el oso de peluche de mi hermanito y mi muñeca me ▬▬▬▬▬ a comer. ¡Yo no ▬▬▬▬▬ semejante invitación! A pesar de eso, la ▬▬▬▬▬ y me ▬▬▬▬▬ con ellos. Luego, les ▬▬▬▬▬: "¿Cómo ▬▬▬▬▬ a ese lugar?" La muñeca dijo que ella ▬▬▬▬▬ y que nos ▬▬▬▬▬ en su carro. Yo pensé que no ▬▬▬▬▬, pero tan pronto ella ▬▬▬▬▬ la puerta del vehículo, ¡yo me ▬▬▬▬▬! ▬▬▬▬▬ en el carro sin ningún problema.

Después de media hora, ▬▬▬▬▬ al restaurante. ¡Allí ▬▬▬▬▬ y ▬▬▬▬▬ de todo! Lo mejor es que pedimos unos platillos que mi mamá jamás me dejaría ▬▬▬▬▬. La muñeca se ▬▬▬▬▬ unos espaguetis en salsa de chocolate, mientras que el oso se ▬▬▬▬▬ una hamburguesa de bizcocho. Yo me ▬▬▬▬▬ una pizza de malvaviscos y fresas. ¡Todo ▬▬▬▬▬ delicioso! Sin embargo, justo cuando ▬▬▬▬▬ a ▬▬▬▬▬ el postre, el despertador ▬▬▬▬▬ y tuve que ▬▬▬▬▬ para ir a la escuela. ¡Espero ▬▬▬▬▬ a ese restaurante algún día!

3 Reflexiona sobre el siguiente planteamiento. Luego, redacta en dos párrafos tu opinión al respecto. Recuerda escribir oraciones con predicado simple y con predicado compuesto.

Vivimos en una era de grandes adelantos tecnológicos. A pesar de ellos, la sociedad presenta graves problemas de comunicación.

- *¿A qué crees que se deba esto? Explica.*

4 Trabaja en tu libreta un mapa de conceptos, en el cual indiques los usos de las comillas y los paréntesis, según lo estudiado en clase. Utiliza el siguiente diagrama:

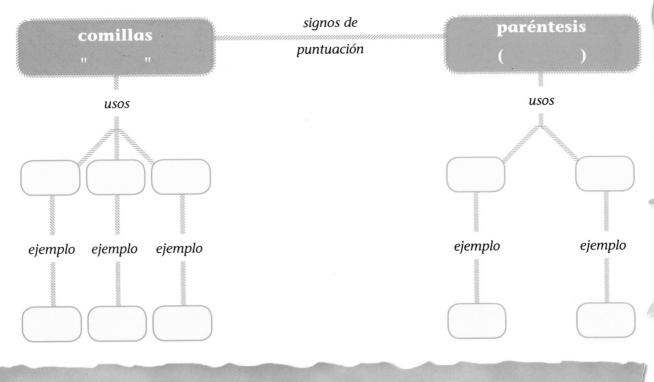

DIARIO REFLEXIVO

- Contesta:
  a. ¿Qué uso se les puede dar a los despectivos dentro de un texto?
  b. Entre el predicado simple y el predicado compuesto, ¿cuál entiendes que utilizamos más? ¿Por qué?
  c. ¿Comprendes la diferencia entre el uso de las comillas y el de los paréntesis?
  d. ¿En qué se diferencia la anécdota de otros tipos de textos?

Soy un buen competidor

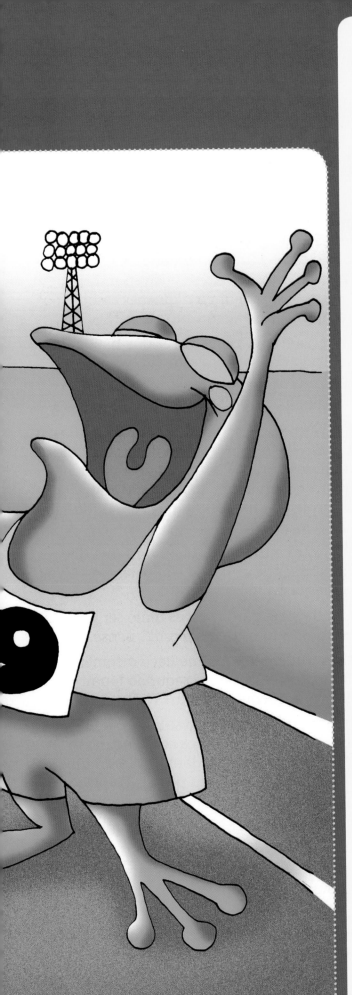

¡Vamos a hablar!

- ¿Qué crees que suceda entre las dos ranas?
- ¿Piensas que actúan bien? ¿Harías lo mismo?
- ¿Crees que sea correcto hacer trampa para ganar una competencia? ¿Por qué?

En este capítulo...

✓ aprenderás a inferir el significado de los refranes.

✓ sabrás distinguir el predicado verbal y el nominal.

✓ aprenderás a utilizar correctamente la raya y el guion al escribir.

✓ reconocerás e identificarás las características del texto narrativo.

✓ redactarás un texto narrativo.

✓ expondrás frente a tus compañeros tu texto narrativo.

Ventana al verde

- Reflexiona:

  Las ranas no beben agua, ya que la absorben a través de su piel. Además, obtienen oxígeno del agua.

  - ¿Qué tan significativa es la pureza del agua para los seres vivos?

Real Rana Saltadora

El año pasado estuvo entrenando por un mes. ¡Si la hubiesen visto! Así gana cualquiera. Bueno, la verdad es que yo no entrené; quería ganar, pero jugar se me hacía más divertido.

—¿Qué haces? —le dije un día antes de la competencia del año pasado.

—Entrenando, Lola —me dijo Cali con una de sus acostumbradas sonrisas—. Quiero ganarte.

Cali es mi mejor amiga. Crecimos juntas, pero desde hace tres años pertenecemos a grupos distintos en nuestra escuela Academia don Floro Comodoro. A ella asistimos todas las ranas de la **comarca**.

Todos los años se realiza la competencia "Real Rana Saltadora". Cada grupo de la escuela escoge una representante. Las ranas que salten más rápido se vuelven muy importantes. ¡Adivinen a quiénes escogieron nuestros grupos! Sí, ¡a Cali y a mí!

—No sería la primera vez que me ganas —le dije a Cali—. Pero esta vez, yo comeré pizza.

—¡Ja ja! —rio a carcajadas—. ¡Ya lo veremos!

El día de la competencia, todas las ranas ganadoras van al Pizzarrana a comer toda la pizza que quieran. Yo nunca lo he hecho. El año pasado fue Cali la que comió toda la pizza que quiso.

—No es malo ser la segunda —me dijo Cali después de ganar la competencia—. Voy a comer pizza. ¡Nos vemos!

"Claro que para ti no es malo ser la segunda, ¡si tú comerás pizza!", pensé.

Esa tarde, mi papá me llevo a comer helado para celebrar mi segundo lugar. ¡Celebrar mi segundo lugar! Yo quería ganar.

Cuando mi papá y yo salíamos de la heladería, nos topamos con las ranas saltadoras. Todas ganadoras, estaban allí. Cali estaba comiendo su pedazo de pizza. Yo aún no terminaba mi helado de chocolate.

—¿Quieres pizza? —me preguntó Cali, sonriendo tímidamente.

—¡Lola no ganó! ¡Hoy no come pizza! —dijo una de las ranas.

• **comarca:** conjunto de poblaciones que, por compartir ciertas características, forman un territorio separado cultural, económica o administrativamente.

—¡Que se coma su helado! —dijeron las demás a coro.

—No quiero, gracias —le dije a Cali, aguantando las ganas de gritar.

Cali me miró con tristeza y siguió su camino. Mi papá, como todo buen padre, quiso hacerme sentir bien

—Sabes, no es malo llegar segunda —me dijo—. Lo importante es hacer tu mayor esfuerzo.

—Claro, eso lo dices porque tú fuiste una "Real Rana Saltadora" —le contesté.

—Hay ocasiones en las que un helado es mejor que un pedazo de pizza —dijo mi padre.

Me sonrió y siguió caminando, pero no me dijo cuándo.

Casi un año había pasado. Ya se acercaba nuevamente la competencia. Pronto se escogerían las Reales Ranas Saltadoras.

—Lola, ¿adivina quién saltará este año? —me dijo Cali cuando regresábamos de la escuela.

—¡Yo! —le dije entre risas—. Supongo que tú también.

—¡Así es! ¿Lista para verme comer pizza otra vez? —bromeó Cali.

—Creo que este año te tocará comer helado —le contesté sonriendo, mientras pensaba en todo el entrenamiento que necesitaba para ganarle.

Cali siempre ha saltado más rápido que yo, pero quería ganarle. Quería ser importante y comer toda la pizza que pudiera. Aunque mi papá piense que es mejor un helado que una pizza, aunque no me haya dicho cuándo.

Comencé a entrenar. Todos los días saltaba y saltaba. Uno de los tantos días de entrenamiento, vino a verme mi primo Lito.

—¿Qué haces? —me preguntó—. ¿Por qué no vienes a jugar?

—Estoy entrenando —le dije—. Debo ganarle a Cali.

—Cali salta muy rápido —me dijo Lito.

—Sí —le contesté—, por eso, debo entrenar mucho.

—Si quieres ganarle, ¿por qué no la invitas a jugar al Bosque Espinoso? Llévala entre los árboles para que se lastime una pata. Con la herida de una espina, no podrá saltar muy rápido —me dijo, antes de salir corriendo.

Lo que me dijo Lito me **perturbó** un poco. Yo no quería hacerle daño a Cali. Ella es mi mejor amiga y yo la quiero mucho, pero también quería ganarle.

Un día, después de la escuela, caminaba con Cali de regreso a casa.

—¿Hoy vas a entrenar? —le pregunté a mi amiga.

—Este año no estoy entrenando —me dijo.

—¿Por qué? —dije, algo molesta—. ¿Piensas que es tan fácil ganarme que no necesitas entrenar?

Cali comenzó a reírse. Yo la miraba muy seria y ofendida.

—¿Quieres ir a jugar al Bosque Espinoso? —al fin me atreví a preguntar.

—¿Al Bosque Espinoso? —me preguntó sorprendida—. ¿Estás segura?

—Sí —le dije, un poco nerviosa—. ¿Vamos?

Cali aceptó y nos dirigimos hacia el temido bosque. Estaba decidida: llevaría a cabo la idea de Lito.

• **perturbó, de *perturbar*:** quitar la paz o tranquilidad a alguien.

—Siempre pensé que detestabas este lugar —dijo Cali, mientras me miraba un poco extrañada.

—Pues, sí —le respondí—, pero hoy sentí deseos de jugar aquí.

Cali y yo comenzamos a jugar con la pelota. Por un momento, me divertí tanto que olvidé por qué la había llevado al bosque.

Luego de un rato jugando, decidí que era tiempo de llevar a cabo mi plan. Observé alrededor hasta ver el pasto más espinoso. Luego, arrojé la pelota con todas mis fuerzas hacia esa dirección. Cuando iba a pedirle a Cali que buscara la pelota, comenzó a decirme:

—¿Sabes por qué vine contigo a este bosque?

—No sé —le contesté—. Me imagino que querías jugar.

—¡Ja ja, sí! —me dijo entre risas—. Quería jugar contigo. Hace mucho que ya no pasamos tanto tiempo juntas. Me gusta jugar contigo, aunque sea en este Bosque Espinoso.

—A mí también me gusta pasar el tiempo contigo. Eres mi mejor amiga —le dije.

—¿Sabes por qué no entrené este año para la competencia? —me preguntó con una **leve** sonrisa.

—¿Porque piensas que es muy fácil ganarme? —le pregunté a Cali con timidez.

—No, chica —me dijo riendo—. Porque saltar debe ser divertido, sobre todo, si estoy saltando contigo.

En ese momento, sentí un gran alivio. Supe que nunca hubiese sido capaz de lastimar a mi amiga.

—Vamos a casa —le dije—. Otro día venimos por la pelota.

• **leve:** poco fuerte o intenso.

123

Desde ese día no volví a entrenar. Preferí dedicar mi tiempo a jugar con mi amiga Cali. Competir era importante, pero ya no estaba **obsesionada** con ganar. Sabía que cualquiera de las dos merecía ser una Real Rana Saltadora.

El día de la competencia por fin llegó. En la Academia don Floro Comodoro todos estaban como locos haciendo los preparativos.

—¿Lista para saltar? —me preguntó Cali.

—Yo sí, ¿y tú? —le dije a mi amiga.

—¡Lista! —me dijo y comenzó a reír.

A Cali le gusta reír. Siempre está riendo. Creo que por eso somos tan buenas amigas.

—¡Cooompeeeetiiiidoooooraaaaas! —se escuchó por un altoparlante—. En sus marcas, listas, ¡fueraaaa!

Comenzamos a saltar con energía. Al finalizar nuestros saltos, Cali y yo nos tiramos en el suelo a reír. Tenía razón, ¡saltar es divertido! Y más cuando lo haces en compañía de una amiga.

¿Saben? Otra vez llegué segunda. Pero esta vez no me sentí molesta ni triste. Había hecho mi mayor esfuerzo. Simplemente, Cali saltó más rápido que yo. ¡Me sentía feliz por ella!

—Otra vez comerás pizza —le dije sonriendo a Cali.

• **obsesionada, de *obsesión*:** idea, deseo o preocupación que no se puede apartar de la mente.

—¡Parece que estas patas largas sirven de algo! —me dijo entre risas. En ese momento, las Reales Ranas Saltadoras llegaron a buscar a Cali.

—¡Oye, Lola! —me dijo una de ellas en tono burlón—. ¡Otra vez segunda!

—Llegar segunda no es tan malo —les dije antes de voltear a ver a Cali.

Ella me regaló una sonrisa, y yo también le sonreí.

—Cali, vienes con nosotras a comer pizza, ¿verdad? —preguntó otra de las ranas.

Mi mejor amiga me miró y volvió a regalarme una sonrisa.

—Tal vez el próximo año —les dijo, ante el asombro de todos—. Esta vez, prefiero ir a comer un helado con mi amiga.

Cali me abrazó y caminamos hasta la heladería acompañadas de nuestras familias. En ese momento, entendí lo que quería decir mi padre.

Jessenia Pagán Marrero
(puertorriqueña)

OTRAS SENDAS...

En *Leyendas del oeste de la isla*, de Georgina Lázaro León, se unen dos historias que se desarrollan en pueblos del oeste de Puerto Rico. En uno de los relatos, el protagonista es el famoso pirata Cofresí. En el segundo, se narra un suceso importante que llevó a la construcción de la ermita de Hormigueros, edificación que le sirve de insignia a ese pueblo.

125

Por las sendas

● Completa el mantecado con la siguiente información sobre la lectura:

¿Cuándo y dónde ocurre la historia?

¿Cuáles son los personajes?

¿Cuál es el conflicto en el cuento?

¿Cuáles son los eventos?

¿Cómo se soluciona el conflicto?

● Lee el siguiente fragmento. Luego, realiza las siguientes actividades:

1 Mientras leas el texto, anota los sentimientos de la narradora (Lola). Explica por qué se siente de esa forma.

2 Explica cómo trata Cali a Lola.

3 ¿Por qué no puede Lola comer toda la pizza que quiere?

El día de la competencia, todas las ranas ganadoras van al Pizzarrana a comer toda la pizza que quieran. Yo nunca lo he hecho. El año pasado fue Cali la que comió toda la pizza que quiso.

—No es malo ser la segunda —me dijo Cali después de ganar la competencia—. Voy a comer pizza. ¡Nos vemos!

"Claro que para ti no es malo ser la segunda, ¡si tú comerás pizza!", pensé.

Examino

✓ ¿Por qué quería Lola ser una Real Rana Saltadora?

✓ ¿Cómo se sentía Lola en cuanto a hacerle trampa a Cali? Explica.

✓ Si Lola hubiera hecho trampa, ¿cuáles hubieran sido las consecuencias? Explica lo que habría pasado.

EVALÚO Y CUESTIONO

☑ ¿Actuó Lola bien al no hacer trampa? ¿Por qué?

☑ ¿Crees que Lola y Cali hicieran bien al no preocuparse por ganar? Explica.

☑ ¿Piensas que en algún momento Lola debió haberle confesado a Cali el plan que no llegó a realizar? ¿Por qué?

☑ ¿Qué es más importante: ganar una competencia o conservar una amistad? Explica.

DOY LO MEJOR DE MÍ

Educación moral y cívica

Armando saca buenas notas en todas sus clases y exámenes. Sus maestras y sus padres están orgullosos de él porque es muy responsable y estudioso. Un día, tenía un examen y no estudió porque se fue de paseo con sus papás. Ellos no sabían nada, porque Armando les ocultó la verdad. A la hora del examen, se sintió tan presionado por sacar buena nota que se copió de una compañera.

● Contesta:

• ¿Se justifica el que Armando se haya copiado? ¿Por qué?

Con la trampa, nada se gana.

Los refranes

Cuando los abuelos entran por la puerta, la disciplina sale por la ventana.

● Contesta:

a. ¿Qué puedes entender de lo que dice la mamá en la tirilla?

b. ¿Por qué crees que lo dijera?

c. ¿Has escuchado esa frase antes? ¿Dónde?

Los refranes se transmiten de generación en generación.

Los **refranes** son dichos o medios de expresión que se manifiestan dentro de la cultura popular.

Constituyen el conjunto de conocimientos e ideas culturales del pueblo, en tiempos en los que la tradición oral pasaba la sabiduría popular de una generación a otra.

Ejemplos:

✓ *Nadie diga: de esta agua no he de beber.*

Significado: Ninguno está libre de que le suceda alguna experiencia que no deseaba.

✓ *Cuatro ojos ven más que dos.*

Significado: Las cosas consultadas y revisadas entre varias personas salen mejor.

✓ *Más vale maña que fuerza.*

Significado: Se obtienen mayores logros con la habilidad y la tranquilidad que con la fuerza bruta y la violencia.

✓ *A quien madruga, Dios lo ayuda.*

Significado: El éxito depende de la rapidez y de la iniciativa de hacer las cosas.

Los refranes tienen una manera particular de decir las cosas de forma divertida y graciosa. Consisten en una enseñanza, un consejo o una moraleja.

Ejemplos:

✓ *A mal tiempo, buena cara.*

Significado: Hay que saber enfrentar los problemas que se presenten.

✓ *A palabras necias, oídos sordos.*

Significado: No hay que hacer caso del que no tiene razón.

✓ *Perro que ladra, no muerde.*

Significado: Los que hablan mucho, hacen poco.

✓ *Más vale caer en gracia que ser gracioso.*

Significado: Es mejor caerles bien a los demás al ser uno mismo, que ser demasiado gracioso y pasarse de la raya.

EN MI LIBRETA...

1 Explica el significado de los siguientes refranes:

a. A buen entendedor, pocas palabras bastan.

b. De tal palo, tal astilla.

c. Más vale estar solo que mal acompañado.

d. Dime con quién andas, y te diré quién eres.

e. Cuando el río suena, es porque agua trae.

2 Investiga con tu familia qué otros refranes conocen. Luego, infiere sus significados.

SE DICE ASÍ...

● Los siguientes refranes tienen el mismo significado. Escoge la versión que se utiliza en Puerto Rico.

a. A falta de pan, buenas son tortas.

b. A falta de pan, tortillas.

c. A falta de pan, galletas.

El predicado verbal

555   **Enciclopedia de Animales**   **rana**

RANA

Las ranas **habitan** en muchos países y en todos los continentes, menos en la Antártica. Algunas **viven** la mayor parte del tiempo en el agua y otras, en la superficie terrestre.

Estos animales **pertenecen** al grupo de los anfibios y **tienen** un parentesco cercano con los sapos.

● Contesta:

a. Las palabras destacadas en la página enciclopédica, ¿a qué palabra señalan?

b. ¿Qué función crees que cumplan en torno a esa palabra?

El predicado verbal	
Definición	**Ejemplos**
Tiene un verbo como núcleo (N) y expresa la acción que lleva a cabo el sujeto.	N _Las ranas viven en casi todo el mundo._ **Predicado verbal (P.V.)** N _Estos animales pertenecen al grupo de los anfibios._ **Predicado verbal (P.V.)**

En el predicado verbal, el núcleo siempre expresa una acción.

El predicado nominal

● Contesta:

a. Las palabras destacadas en la viñeta, ¿son parte del sujeto o del predicado?

b. ¿Sabes qué clase de verbos son?

El predicado nominal

Definición	Ejemplos:
Tiene como núcleo un **verbo copulativo** (ser, estar o parecer). Con el verbo *ser*, se expresan cualidades permanentes y, con *estar*, cualidades pasajeras. El núcleo va acompañado de un complemento llamado **atributo**, el cual puede ser un sustantivo o un adjetivo y le asigna una cualidad al sujeto.	*¡Es tu amiga Mirta!* N atributo (sustantivo) *Estoy en casa.* N atributo (sustantivo) *¡La idea me parece excelente!* N atributo (adjetivo)

Otros verbos copulativos son: resultar, seguir, semejar, asemejar, permanecer y continuar.

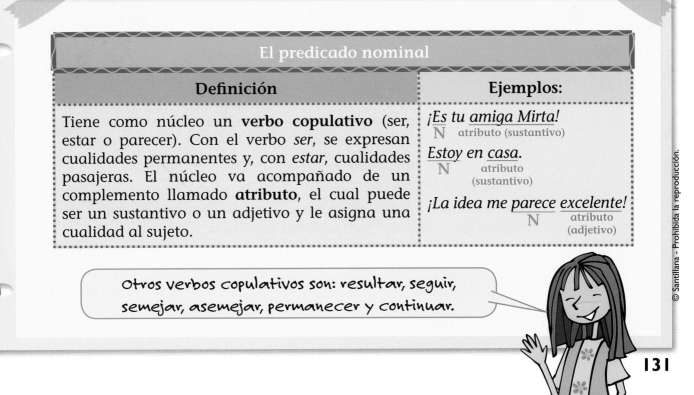

En mi libreta...

El predicado verbal

- Identifica el predicado verbal en las siguientes oraciones:
  - El arquitecto diseñó nuestra casa.
  - Las ranas saltaron con energía.
  - Bárbara trabaja en la biblioteca.
  - Yo desayuno todos los días.
  - Ella y él caminan por la playa.
  - El perro corre en el patio.
  - Las muchachas trajeron flores.
  - Ismael prendió la computadora.
  - La familia de Cheo trajo un postre.

El predicado nominal

- Identifica el predicado nominal en las siguientes oraciones:
  - Soy puertorriqueño.
  - Estamos saliendo del estacionamiento.
  - ¿Eres tú la prima de Regina?
  - Parecemos unos osos con estos abrigos.
  - ¡Estoy muy feliz!
  - Tu amigo se parece a mi hermano.
  - Somos estudiantes del quinto grado.
  - La rana es un anfibio.

El verbo copulativo funciona como enlace entre el sujeto y el atributo.

Taller de Gramática

- Escribe un párrafo en el que argumentes por qué es importante ser un buen competidor. Sigue estos pasos:
  - Piensa en las ventajas que se tienen al ser un buen competidor. Escribe las ideas de forma organizada.
  - Construye las oraciones con verbos de acción y verbos que expresen cualidades permanentes y cualidades pasajeras.
  - Identifica el predicado verbal y el nominal utilizados en cada oración del párrafo.

La raya y el guion

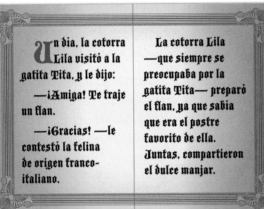

Un día, la cotorra Lila visitó a la gatita Tita, y le dijo:

—¡Amiga! Te traje un flan.

—¡Gracias! —le contestó la felina de origen franco-italiano.

La cotorra Lila —que siempre se preocupaba por la gatita Tita— preparó el flan, ya que sabía que era el postre favorito de ella. Juntas, compartieron el dulce manjar.

● Contesta:

• ¿Qué recurso se utilizó para marcar los diálogos y los comentarios en este cuento?

AHORA SÉ QUE...

Se usa la **raya** para:

✓ indicar un diálogo.

Ejemplo: —¡Gracias!

✓ encerrar las aclaraciones o comentarios.

Ejemplo: La cotorra Lila —que siempre se preocupaba por la gatita Tita— preparó el flan.

Se usa el **guion** para:

✓ escribir determinadas palabras compuestas.

Ejemplo: franco-italiano

EN MI LIBRETA...

1 Escribe la raya donde sea necesario.

Carla, ¿hiciste la asignación? me preguntó Eugenio.

No, no la hice. Mi rana se la comió le contestó Eugenio con preocupación.

2 Forma palabras compuestas utilizando el guion.

| químico | italo | práctico |
| teórico | físico | colombiano |

SE ESCRIBE ASÍ...

Al dividir las palabras en sílabas, también usamos el guion.

helado → he-la-do

Cuando utilizamos el guion para dividir una palabra que no cabe al final de una línea, esta palabra se debe dividir de acuerdo con sus sílabas.

● Copia un fragmento del cuento "Real Rana Saltadora". Usa el guion para separar palabras cuando sea necesario.

Flores de escritura

Travesía de ensueño

Un día, mi papá y yo alzamos vela en su bote para iniciar nuestro tan esperado viaje. Nuestro destino era una isla en el Atlántico, donde podíamos bucear para ver todas las bellezas del océano.

Cuando llegamos, primero nos preparamos para sumergirnos en el mar, lo cual para mí era una aventura inimaginable. Mi papá revisó cada detalle de mi equipo de buceo. Yo me sentía feliz y ansioso. Era la primera vez que emprendía una travesía. Después, nos sumergimos en el mundo marino.

Mi ansiedad se disipó cuando, de repente, me topé con un espectáculo sin igual. Los corales de diversos tonos hacían contraste con los peces que, de igual forma, extendían un arcoíris. Vimos diferentes clases de peces en grupos o especies solitarias, que se escondían cuando advertían nuestra presencia. Al presenciar tanta belleza, nos olvidamos de los minutos y las horas.

En conclusión, esa inolvidable experiencia me inspiró para convertirme en un buzo, al igual que mi padre, con quien todavía visito el mar. Siempre que vamos, me siento como si fuera la primera vez.

Isabel Díaz Torres
(puertorriqueña)

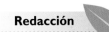

El **texto narrativo** consiste en contar o narrar una serie de sucesos reales o imaginarios. Los hechos son contados por un narrador y se desarrollan en un lugar y en un tiempo determinados. Además, siempre debe tener introducción, desarrollo, clímax y desenlace.

Para escribir este tipo de texto, es necesario desarrollar un asunto, el cual es la situación que se narra. El asunto debe expresarse en una oración.

Ejemplo: *Un niño emprende un viaje al fondo del mar con su padre y decide convertirse en buzo.*

La anécdota, el cuento, los sucesos de un viaje y la leyenda son ejemplos de textos narrativos.

Ahora, lo hago yo

Me organizo

● Escribe un texto narrativo. Sigue estos pasos:

1 Elige algún evento que haya ocurrido.

2 Escribe el asunto de tu texto y los sucesos en el orden en que ocurrieron.

3 Subraya la introducción, el desarrollo y el desenlace.

Lo escribo

● Escribe un párrafo para cada proceso:

✓ Introducción: presentación del personaje. Usa frases como: *Un día, Una vez…*

✓ Desarrollo: la acción y conflicto. Puedes usar estas frases o palabras: *Primero…, Después…, Entonces sucedió…*

✓ Clímax: punto culminante. Puedes usar las frases *De repente, De pronto…*

✓ Desenlace: solución del conflicto. Usa frases como: *Finalmente, Por último…*

Me corrijo

● Lee y revisa tu texto. Observa si cumpliste con lo siguiente:

✓ ¿Tiene introducción, desarrollo, clímax y desenlace?

✓ ¿Está presentado en orden de sucesos?

✓ ¿Utilizaste algunas de las frases recomendadas?

Espacio de tertulia

Presento mi texto narrativo

El primer día de clases fue divertido. El maestro nos pidió que narráramos alguna experiencia de nuestras vacaciones de verano. Escogí el día en que fui a bucear con mi papá. Al narrar mi travesía bajo el mar, lo hice con mucha emoción, pero sin dejar de hacer las pausas necesarias para que todos me entendieran. Al terminar, me di cuenta de lo mucho que quiero a mi papá y de que, cuando sea grande, me gustaría ser un gran buzo como él.

Preparación

1 Practica al leer la introducción lentamente y con las pausas indicadas por las comas y los puntos.

2 Narra el desarrollo con un poco de rapidez y con tono de suspenso.

3 Lee el punto culminante con pausas más largas. En el desenlace, regresa a la narración lenta.

Presentación

● Nárrales tu texto a tus compañeros. Ten en cuenta lo siguiente:

✓ Observa a tus compañeros de vez en cuando. Así, sabrás cómo continuar tu narración. Por ejemplo, si están perdidos, lee con más lentitud.

✓ Expresa, con tu tono de voz, los sentimientos de los personajes, el ambiente, etc.

Autoevaluación

✓ ¿Utilicé una entonación y una velocidad adecuadas al narrar cada parte?   ❏ Lo hice bien.   ❏ Puedo mejorar.

✓ ¿Hice las pausas indicadas por los signos de puntuación?   ❏ Lo hice bien.   ❏ Puedo mejorar.

✓ ¿Expresé las emociones del texto narrativo?   ❏ Lo hice bien.   ❏ Puedo mejorar.

✓ ¿Capturéla atención de mi público?   ❏ Lo hice bien.   ❏ Puedo mejorar.

Punto de encuentro

**Enlace con
Educación Física**

Los juegos olímpicos

Los juegos olímpicos se originaron en el año 776 a.C., en la ciudad de Olimpia, en Grecia. Muchos siglos después, en 1896, el barón Pierre de Coubertin, con su esfuerzo y dedicación, rescató esa tradición en Atenas, al celebrar los primeros juegos olímpicos modernos. Desde ese entonces, se llevan a cabo cada cuatro años, excepto cuando ocurrieron la Primera y la Segunda Guerra Mundial. Las olimpiadas actuales generan un movimiento mundial que engrandece el deporte y la sana competencia. Entre los deportes que compiten, se encuentran el baloncesto, la natación, la gimnasia, el voleibol y la esgrima.

1 Identifica el predicado y su núcleo en estas oraciones. Luego, determina si el predicado es verbal o nominal.

- El barón de Coubertin rescató la tradición de los juegos olímpicos.
- Los juegos olímpicos son divertidos.
- En Olimpia, se originaron los juegos olímpicos.
- Las olimpiadas son una forma de competir sanamente.

2 Imagina que estás viendo tu deporte favorito en las olimpiadas. Redacta un texto narrativo sobre lo que está sucediendo.

3 ¿Por qué crees que las olimpiadas provoquen tanto interés en las personas alrededor del mundo? Explica.

¡A pensar!

El diseño gráfico

El diseño gráfico es un arte creativo que va dirigido a idear y proyectar mensajes visuales. En él, se seleccionan y organizan una serie de elementos para producir visuales impresos o digitales.

Esto va más allá del dibujo, ya que interpreta la colocación y la presentación visual de mensajes. Para ello, el diseñador gráfico debe conocer la comunicación, el lenguaje y la apreciación visuales y los recursos tecnológicos.

Hay tres tipos de diseño gráfico: el editorial (periódicos, libros); el publicitario (anuncios, vallas publicitarias); y el multimedia (páginas de Internet, video, audio).

APLICAR

- Examina y discute los siguientes datos:
  - El diseño gráfico no proyecta mensajes visuales.
  - Hay tres tipos de diseño gráfico: el editorial, el publicitario y el multimedia.
  - El diseñador gráfico solo debe conocer los recursos tecnológicos para realizar su trabajo.
  - En el diseño editorial, se trabajan los anuncios y las vallas publicitarias.
  - Las páginas de Internet forman parte del diseño multimedia.

ANALIZAR

● Identifica si el diseño gráfico utilizado en este medio es editorial, publicitario o multimedia.

SINTETIZAR

● Diseña, en una hoja de papel, la portada de tu propio periódico. Recuerda que debe tener un título que se destaque, titulares e imágenes.

Mi ambiente

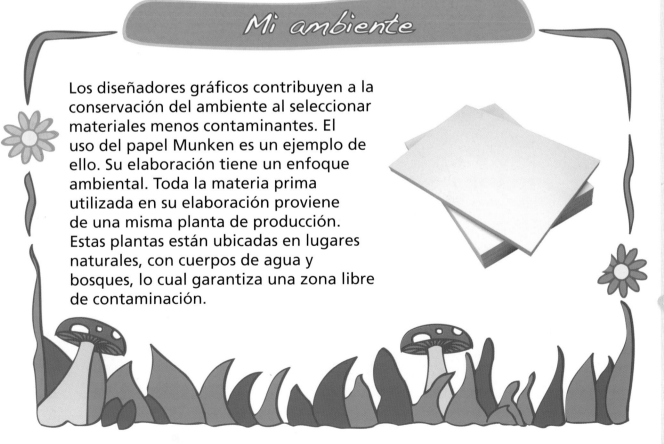

Los diseñadores gráficos contribuyen a la conservación del ambiente al seleccionar materiales menos contaminantes. El uso del papel Munken es un ejemplo de ello. Su elaboración tiene un enfoque ambiental. Toda la materia prima utilizada en su elaboración proviene de una misma planta de producción. Estas plantas están ubicadas en lugares naturales, con cuerpos de agua y bosques, lo cual garantiza una zona libre de contaminación.

Sé que aprendí

1 Lee los siguientes refranes y selecciona dos de ellos. Luego, haz un dibujo que explique el significado de cada uno. Finalmente, preséntalos a la clase y explícalos.

Ejemplo: *Haz bien y no mires a quién.*

a. Camarón que se duerme, se lo lleva la corriente.

b. El vago trabaja doble.

c. El que no toma consejos no llega a viejo.

d. No todo lo que brilla es oro.

e. Cuentas claras conservan amistades.

2 Escribe un diálogo para cada personaje, con oraciones que tengan predicado verbal.

3 Busca los verbos copulativos en la sopa de letras. Luego, escribe una oración con cada uno. Puedes utilizar cualquier modo del verbo.

asemejar
estar
continuar
parecer
permanecer
resultar
seguir
ser

```
p e r m a n e c e r
x s c y b s e r q g
a t o z k a u r r l
s a n p a r e c e r
e r t c t q s d s p
m a i g v w e j u l
e d n l e w g v l y
j w u i h k u s t h
a g a j a x i r a r
r u r f x f r o r i
```

4 Observa la tirilla. Luego, escribe las funciones de la raya y del guion en la burbuja de diálogo que corresponda.

Cali, ¡repasemos lo que aprendimos hoy! La raya se usa para _____

¡Muy bien, Lola! Pues el guion se usa para _____

DIARIO REFLEXIVO

● Contesta:

a. ¿Cuál es la importancia de los refranes en la vida cotidiana? ¿Crees que sean necesarios? ¿Por qué?

b. ¿Cuál de los tipos de predicados crees que utilicemos más dentro de la comunicación? Explica.

c. ¿Qué pasaría si la raya y el guion no existieran como signos de puntuación?

d. ¿Crees que el texto narrativo sea exclusivo de la literatura? Argumenta.

¡VAMOS A HABLAR!

- ¿Cómo se siente esa familia?
- ¿Crees que ellos aprecien la naturaleza? ¿Cómo lo sabes?
- ¿Crees que los árboles tengan una función importante en el ambiente?
- ¿Cómo reaccionarías si cortaran los árboles que te rodean?

EN ESTE CAPÍTULO...

✓ reconocerás, identificarás y utilizarás los parónimos.

✓ aprenderás a usar los sustantivos con sus variaciones de género y de número.

✓ utilizarás correctamente al escribir los puntos suspensivos.

✓ conocerás el uso del lenguaje figurado y de los recursos literarios en la poesía.

✓ escribirás un poema, en el que utilizes un lenguaje figurado y los recursos literarios.

✓ declamarás tu poema frente a tus compañeros.

VENTANA AL VERDE

● Comenta:

Los grillos ayudan en el proceso de desintegración de materiales provenientes de las plantas. Al hacerlo, ayudan en la renovación de los minerales en la tierra.

- ¿Qué pasaría si no existiera este insecto?

Ese viejo árbol

El timbre apenas comenzaba a **repicar** y ya Benito corría hacia el patio. Renato y Manolo le seguían entusiasmados. Era la tan esperada hora de recreo del último día de clases.

Los tres grandes amigos se sentaron a la sombra del viejo árbol de la escuela. Benito no aguantaba la emoción; quería enseñarles el reproductor de audio digital que su papá le había prestado.

—¡Déjame ver, déjame ver! —dijo Renato con entusiasmo.

—¡Wow, está brutal! —dijo Manolo con una gran sonrisa—. Ese es el que yo quiero.

—Mami me dijo que para mi cumpleaños me comprará uno —respondió a toda prisa Renato, mientras evitaba que la brisa lo despeinara.

—¡No seas mentiroso! El otro día me dijiste que te regalarán una bicicleta —le respondió Manolo, mientras se sacudía las hojas que caían del árbol—. ¡Ay, odio estas hojas!

—Yo también —**asintió** Renato.

• **repicar:** tañer o sonar repetidamente una campana, un timbre o algún instrumento de percusión.

• **asintió, de *asentir*:** admitir como cierto lo que otra persona ha afirmado antes.

Mientras Benito, Renato y Manolo estaban bajo el árbol, pasaron dos niños corriendo cerca de ellos. Uno se tropezó con las raíces del árbol.

—Detesto este árbol —decía un niño, mientras se levantaba del suelo y se sacudía la tierra de la ropa.

—¡Ese árbol es un estorbo! —le dijo el otro niño que corría con él.

Sin decir más, continuaron la carrera y se alejaron a toda prisa.

Bajo la sombra del árbol, Benito, muy orgulloso, seguía jugando con los botones del aparato. Sus amigos lo miraban con un poquito de envidia. De pronto, Benito rompió el silencio.

—Oye, Manolo, esta es la canción que me dijiste. Papi la tiene aquí —le decía Benito a su amigo, señalando el reproductor.

Pero Manolo, que por un minuto se había quedado callado, no respondió.

—¡Manolo! —gritó Renato—. ¿No escuchas que Benito te está hablando? ¡Manolo!

Repentinamente, y como si estuviera en otro mundo, Manolo miró a sus amigos muy extrañado.

—¿Qué es eso? —preguntó asustado el niño—. Nunca lo había visto.

—¿De qué estás hablando, Manolo? —preguntó Benito con gran curiosidad.

—De eso —dijo, mientras señalaba hacia el árbol.

—¡Uh, qué asco! —exclamó Renato, quien miraba **atónito** tal descubrimiento.

Todos corrieron hacia el viejo árbol, en cuyo tronco se posaba aquel animal desconocido. El insecto frotaba una de sus largas patas contra la corteza del árbol.

—Es una cucaracha, creo —les dijo Manolo—. Parece una cucaracha.

—¡Ja ja ja! —rio a carcajadas Benito—. Claro que no. Parece un grillo gigante.

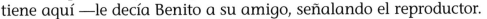

• **atónito:** que se muestra muy sorprendido por algo extraño.

—¡Cállense! —dijo molesto Manolo—. Ninguno sabe lo que es. Se parece al que vimos la semana pasada.

—¡Miren! Allá hay otro —exclamó Renato, al señalar hacia una rama donde había otro de los insectos.

—Pero, ¿qué hace? —preguntó Benito.

—Creo que está comiendo —contestó Manolo.

El insecto que estaba sobre la rama tenía una hoja **afianzada** con sus largas patas. Poquito a poquito, se la fue comiendo.

—¡Se la comió! ¡Se la comió toda! —gritó Benito muy emocionado.

Los niños veían entusiasmados cómo el insecto que estaba en la rama se movía hasta alcanzar otra hoja.

—Ojalá se coma todas las hojas —dijo Renato.

—¡Mejor que se coma todo el árbol! —le respondió Manolo.

Inesperadamente, el raro insecto que estaba en el tronco emprendió el vuelo. Espantados, los amigos vieron cómo este fue a parar a la camisa de Manolo.

—¡Ahhhh! —gritó Manolo, mientras sacudía sin parar su camisa—. ¡Quítenmelo!

—¡Ahí está! —gritaba Benito señalando a Manolo.

Otra vez, el insecto utilizó sus alas y volvió al tronco del árbol. Los niños, sin demora, comenzaron a correr en dirección contraria.

—¡Odio ese viejo árbol! —gritó Manolo con enojo—. Solo tiene hojas e insectos.

—Sí, quisiera que desapareciera —deseó Renato, mientras volteaba a mirarlo.

—¡Espero que lo corten! —exclamó Benito, haciéndose eco de sus amigos.

Los niños siguieron ansiosos el rumbo que marcaba el timbre de vuelta hacia el salón de clases. La próxima vez que se reunieran en el recreo, serían "un grado más grandes".

• **afianzada**, de *afianzar*: agarrar.

146

Y el anhelado momento llegó: las vacaciones de verano. Durante esos meses, los tres amigos casi ni se vieron. Estuvieron muy ocupados disfrutando de los parques y de las playas de la Isla. En el nuevo semestre escolar volverían a verse y podrían hablar y jugar de lunes a viernes. Además, podrían contarse lo que hicieron durante las vacaciones. Por eso, este primer día de clases les resultaba tan excitante.

Dos meses después, regresaron a la escuela. Durante la mañana de ese primer día de clases, los tres grandes amigos apenas habían podido hablar. Era el primer día escolar; comenzar el semestre con un regaño no estaba en sus planes.

—¡Estoy loco por que llegue la hora del recreo! —le dijo Renato a Manolo, durante uno de los cambios de salón.

—¡Yo también! —le respondió entusiasmado Manolo.

Al fin, llegó la última clase de la mañana. ¡Pronto sería la hora del recreo! Ya no aguantaban las ganas de contarse todas las cosas que hicieron durante el verano.

—¡Que suene el timbre! —le susurró Manolo a Benito.

—Shhh —le respondió Benito en voz muy bajita, mientras se **cercioraba** de que la maestra no los hubiese visto hablar.

• **cercioraba**, de *cerciorar*: asegurar la verdad de algo.

147

Cuando la clase de Ciencias ya estaba por terminar, la maestra comenzó a explicar los temas que estudiarían ese semestre.

—Niños, mañana comenzaremos a estudiar los artrópodos —le dijo al grupo la maestra Pérez.

—¿Los qué? —preguntó entusiasmado Federico.

—Los artrópodos son animales invertebrados que tienen el cuerpo segmentado, entre otras características —respondió la maestra.

—¿Como los insectos, maestra? —preguntó Marcelo.

—Bueno, como los insectos, los arácnidos y los crustáceos. Pero en este caso, comenzaremos a estudiar los insectos —respondió la maestra Pérez—. Estoy segura de que todos han visto insectos en el patio de sus casas.

—Ayer vi una cucaracha, maestra —contó Clarita.

—Yo veo grillos a cada rato —dijo con desenfado Laura.

—Los insectos son asquerosos. Deberían desaparecer —dijo Renato.

—No digas eso, Renato. Los insectos son muy importantes —dijo la maestra.

—¿Importantes para qué? —preguntó Benito.

—Pues, muchos de ellos polinizan las flores, producen seda y miel. Además, muchos sirven como alimento para otros animales.

—Algunos insectos comen hojas, maestra —dijo Manolo con orgullo.

—Cierto, pero ya hablaremos en detalle sobre los insectos durante el semestre —**prosiguió** la maestra—. Por ahora, quiero que mañana cada uno traiga un insecto vivo, para que veamos que son de diferentes tamaños, formas y colores.

Renato, Benito y Manolo se miraron y sonrieron con la picardía de quien guarda un secreto. Ya no podían esperar para salir al recreo.

Tan pronto sonó el timbre, salieron corriendo hacia el viejo árbol.

• **prosiguió**, de *proseguir*: seguir, continuar, llevar adelante lo que se tenía empezado.

De seguro allí encontrarían los insectos más raros del salón.

Mientras se acercaban a toda prisa, los **abrasadores** rayos del sol les hicieron recordar que este semestre había empezado con una gran noticia: ese árbol viejo que tanto detestaban ya no estaba. El director de la escuela decidió mandar a cortarlo a petición de los estudiantes. Ahora tendrán más espacio para correr y jugar.

—¡Por un momento olvidé que el árbol ya no está! —exclamó Benito con decepción.

—Yo también lo había olvidado —respondió Renato—. La maestra mencionó los insectos y solo pensé en el árbol.

—Bueno, qué importa. El árbol ya no está —señaló Manuel—. Busquemos nuestros insectos en el patio.

Los amigos comenzaron a buscar en cada rincón del patio de la escuela. La acostumbrada sombra bajo la que siempre jugaban ya no estaba. Este verano les parecía más caluroso que nunca.

—¡Qué calor! —dijo Manolo, mientras secaba las gotas de sudor que bajaban por su rostro.

—¿Encontraron algo? —preguntó Benito, fastidiado por el calor.

—Hormigas. Sólo veo hormigas —dijo Renato con poco entusiasmo—.

—Yo encontré —respondió Benito antes que la tos lo interrumpiera—, hormigas.

El tiempo de recreo terminaba y los niños no habían encontrado esos extrañísimos insectos que dibujaban en su imaginación.

—¡No hay nada! —comentó decepcionado Manolo, mientras pateaba el suelo, levantando una nube de polvo.

—¿Acaso todos llevaremos hormigas? —preguntó Renato.

En ese momento, los tres amigos extrañaron ver caer las hojas de ese viejo árbol.

Jessenia Pagán Marrero
(puertorriqueña)

OTRAS SENDAS...

La famosa leyenda de la fuente de la juventud cobra vida en *Leyendas sobre Juan Ponce de León*, de Yolanda Izquierdo y Gabriela González Izquierdo. En este libro, el lector será uno de los miembros de la expedición. Por otro lado, *La casa encantada* presenta el misterio de la aparición del fantasma de Juan Ponce de León en la casa que una vez habitó.

• **abrasadores:** que queman.

Me informo

● Escribe la idea principal del cuento en el tronco del árbol. Luego, escribe, en las ramas, los detalles que apoyen la idea principal.

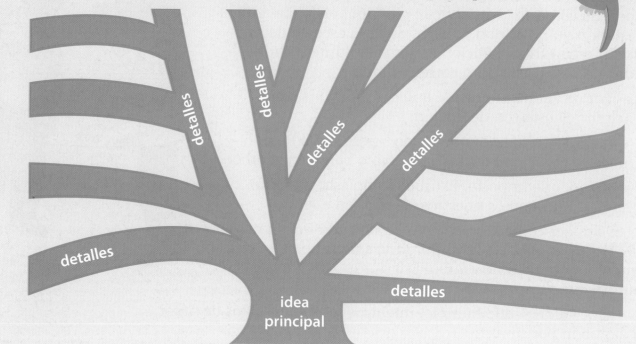

Interpreto

● Lee el fragmento. Luego, realiza las siguientes actividades:

1 Identifica cuál es el conflicto del texto.

2 Menciona qué personaje llega a resolver ese conflicto y cómo lo hizo.

3 Identifica las consecuencias de la solución del conflicto.

   Otra vez, el insecto utilizó sus alas y volvió al tronco del árbol. Los niños, sin demora, comenzaron a correr en dirección contraria.

   —¡Odio ese viejo árbol! —gritó Manolo con enojo—. Solo tiene hojas e insectos.

   —Sí, quisiera que desapareciera —deseó Renato, mientras volteaba a mirarlo.

   —¡Espero que lo corten! —exclamó Benito, haciéndose eco de sus amigos.

150

Examino

✓ ¿Por qué a los niños no les gustaba el árbol?

✓ ¿Crees que tenían derecho a protestar por eso? ¿Por qué?

✓ ¿Por qué el director manda a cortar el árbol de la escuela?

✓ ¿La forma de pensar de los tres amigos cambió al cortarse el árbol? Explica.

EVALÚO Y CUESTIONO

☑ ¿Crees que los niños habrían extrañado el árbol, si la maestra no hubiera asignado esa tarea? ¿Por qué?

☑ ¿Piensas que se podría haber evitado el corte del árbol? Explica.

☑ Si tuvieras un árbol como el que aparece en el cuento, ¿te agradaría o te estorbaría su presencia? ¿Por qué?

DOY LO MEJOR DE MÍ

Educación ambiental

Hace unos meses, en la escuela del vecindario sembraron un pequeño jardín con flores y árboles pequeños. Aunque muchos estudiantes disfrutaban de observar el jardín, otros jugaban y corrían encima de él. Por esta razón, el director de la escuela decidió quitar el jardín sin poner tan siquiera grama, ya que piensa que los niños lo que quieren es correr libremente, sin que les importe la naturaleza.

● Contesta:

• ¿Qué harías para concienciar a todos los niños sobre la importancia de las áreas verdes en el ambiente?

Con la naturaleza no se juega y tampoco se la pisotea.

Los parónimos

Querido Teodoro:

¡Saludos desde Francia! Llevo dos semanas en la Universidad de la Sorbona. Uno de mis profesores me felicitó por mi buena **actitud** y me dijo que tengo buena **aptitud** para los estudios. También me dijo que tengo **modestia** y que si tengo alguna duda, no le ocasionará **molestia** alguna, que la consulte con él.

Luego te envío una carta con más detalles.

Luisa

Teodoro Valdés
#215 Calle Violeta
Urb. Parque Encantado
San Juan, Puerto Rico 00917

● Contesta:

a. ¿Notas algún parecido en las palabras marcadas en la tarjeta postal? Explica.

b. ¿En qué se diferencian?

c. ¿Conoces el significado de cada una de ellas?

Cuando utilizamos los parónimos, es importante velar por la ortografía y por la pronunciación de las palabras, para evitar confusiones.

Los **parónimos** son palabras que se pronuncian y se escriben de forma parecida, pero su significado es distinto.

Ejemplos:

✓ actitud → modo de comportarse ante una circunstancia o hecho.

Uno de mis profesores me felicitó por mi buena actitud.

aptitud → capacidad para desempeñar una determinada función.

Me dijo que tengo buena aptitud para los estudios.

✓ modestia → humildad, falta de vanidad.

También me dijo que tengo modestia.

molestia → enfado, fastidio, disgusto.

Si tengo alguna duda, no le ocasionará molestia alguna, que la consulte con él.

✓ infestado → algo que está lleno de una gran cantidad de seres o de cosas.

El mar está infestado de tiburones.

infectado → que tiene una infección.

La herida se me ha infectado.

Ejemplos:

✓ *mazorca* → *fruto en espiga densa, con granos muy juntos, de ciertas plantas gramíneas, como el maíz.*

Tenemos ganas de comer mazorcas.

mazurca → *danza de origen polaco.*

Mi abuelita me enseñó a bailar mazurca.

✓ *especie* → *conjunto de cosas o de seres vivientes semejantes entre sí, por tener uno o varios caracteres comunes.*

Esa especie de aves está en peligro de extinción.

especia → *sustancia aromática vegetal con que se sazona la comida.*

El guiso de mi abuela tiene muchas especias.

✓ *adoptar* → *tomar, legalmente, a una persona como descendiente.*

Voy a adoptar a una niña.

adaptar → *acomodarse a distintas circunstancias.*

Iván se tuvo que adaptar a su nueva escuela.

EN MI LIBRETA...

1 Selecciona la palabra que corresponda a cada oración.

a. Mañana iré a (relevar/revelar) las fotos.

b. Eres una persona muy (espacial/especial).

c. Necesitas una esponja para (absorber/absolver) el agua.

2 Busca en el diccionario la definición de las siguientes palabras. Luego, escribe una oración con cada una de ellas.

a. aprehender, aprender

b. balón, barón

c. boxear, vocear

d. cesto, sexto

SE DICE ASÍ...

● Selecciona la oración con la palabra destacada que esté utilizada correctamente.

a. La princesa tuvo mucho **vapor** al enfrentarse al rey.

b. La princesa tuvo mucho **valor** al enfrentarse al rey.

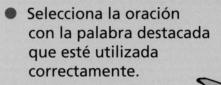

El sustantivo: el género

● Contesta:

a. ¿Por qué crees que lo que dice la oveja confunda a la gallina?

b. ¿Por qué cometió la oveja ese error?

El sustantivo: el género	
El género femenino se forma:	Ejemplos:
al cambiar -o por -a.	*loro → lora; perro → perra*
al añadir -a cuando el sustantivo masculino termina en consonante.	*león → leona; pintor → pintora*
al añadir terminaciones especiales.	*conde → condesa; actor → actriz*
al usar palabras totalmente distintas.	*padre → madre; toro → vaca*

Además, en el **género común**, los sustantivos tienen una misma forma en masculino y en femenino; solo los diferencia el artículo (*el pediatra, la pediatra*). En el **género ambiguo** tienen una misma forma pero adoptan los dos géneros (*el mar, la mar*). En el **género epiceno** puede designar seres de ambos sexos (*la hormiga, el lagarto, el mosquito*).

El sustantivo: el número

Cine Paraíso

Los superhéroe del desierto

Los árbol danzan lo viernes

Los aprendiz de las vida

Las manada de elefantes circenses

● Contesta:

• ¿Qué observas entre los sustantivos y los artículos de cada oración mostrados en la cartelera? Explica.

El **número** de los sustantivos puede ser **singular** o **plural**. El plural de los sustantivos se forma así:

• Si terminan en vocal átona (que no tiene fuerza de pronunciación), se les añade -s.

Ejemplos: superhéroe, superhéroes; desierto, desiertos

• Si terminan en una consonante que no sea -s, se les añade -es. Si terminan en -z, se cambia por c. Luego, se les añade -es.

Ejemplos: árbol, árboles; lápiz, lápices

• Si los sustantivos terminan en -s, el plural se forma al añadir un artículo u otro determinante.

*Ejemplos: el viernes, **los** viernes; la crisis, **las** crisis*

• Los sustantivos colectivos, aunque nombran un grupo de seres u objetos, pueden estar en plural al nombrar varios grupos.

Ejemplos: la manada, las manadas; la familia, las familias

155

En mi libreta...

El sustantivo: el género

● Escribe el femenino de los siguientes sustantivos:

- caballo
- pintor
- emperador
- pediatra
- conde
- culebra
- toro
- pianista
- marqués

El sustantivo: el número

● Escribe el plural de las palabras que están entre paréntesis en cada oración.

- Antonio tiene varios (rebaño) de ovejas.
- Algunas (lombriz) se usan como carnada.
- Olivia visitó varias (ciudad) del mundo.
- Hay que tener cuidado con los (virus).
- Nosotros no somos (capaz) de traicionarte.

> Recuerda que siempre el género y el número deben concordar con los del sustantivo.

Taller de Gramática

● Busca revistas o cualquier otro medio impreso, una cartulina, unas tijeras y pega. Luego, sigue estos pasos:

- Trabaja en pareja con un compañero.
- Recorta diez fotos de objetos, personas o animales.
- Pega las fotos en una cartulina. Deja espacio para escribir entre una foto y otra.
- Debajo de cada foto, escribe el sustantivo que identifique el objeto, la persona o el animal de la foto.
- Debajo de cada sustantivo, escribe su singular y/o su plural.

Los puntos suspensivos

Canciones

Te traigo poemas, música, recuerdos…
Antonieta del Prado

Hoy vine…¡por ti!
Gustavo Rosa

Creo que… ¡te quiero!
Fito Pérez

Camarón que se duerme…
Los primos de Lulú

● Contesta:

a. ¿Qué signos de puntuación se utilizaron en la lista de canciones?

b. ¿Para qué crees que se utilicen los puntos suspensivos?

AHORA SÉ QUE...

Los **puntos suspensivos** (…) constituyen un solo signo ortográfico formado por tres puntos. Indican que:

✓ una enumeración está incompleta.

Ejemplo: Te traigo poemas, música, recuerdos…

✓ se hace una pausa que expresa miedo, sorpresa o duda.

Ejemplo: Hoy vine… ¡por ti!, Creo que… ¡te quiero!

✓ se omite una expresión innecesaria o fácil de adivinar.

Ejemplo: Camarón que se duerme…

EN MI LIBRETA...

● Identifica cuál de las siguientes enumeraciones está incompleta. Luego, añádele un elemento para completarla.

• Me gusta ir a la playa, jugar con mis amigos y nadar en la piscina.

• Me gustaría visitar varios países: Francia, Irlanda, España…

• Hoy fui al supermercado y compré aguacates, yuca, tomates…

SE ESCRIBE ASÍ...

Los puntos suspensivos también se utilizan cuando se cita un texto incompleto.

El final dice: "…extrañaron ver caer las hojas de ese viejo árbol".

Cuando se elimina algún pasaje, utilizamos los puntos suspensivos entre paréntesis o entre corchetes.

La sombra […] ya no estaba."

● Cita una parte de "Ese viejo árbol" y omite una oración.

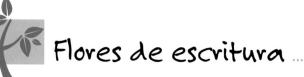
Canción de la mañana

Ya pinta la aurora con mano indecisa,
la luz de su rico, de su rico telón oriental.
Y saltan ligeras las aves del nido
y al sol que presienten dedican alegres,
su bello cantar, su bello cantar.

Se pueblan los bosques de gratos sonidos,
la brisa sonríe, se sonríe con dulce rumor.
Despiertan las flores del plácido sueño,
y al día que nace le dan de su esencia
la parte mejor, la parte mejor.

Levántate, niño, que el sol se levanta,
y alegre a sus juegos, a sus juegos te llama la luz,
la escuela más tarde te abrirá su seno,
si quieres ser sabio, si quieres ser bueno,
procura en la escuela saber y virtud.

Manuel Fernández Juncos
(español)

La **poesía** es un texto literario escrito en verso, compuesto por líneas cortas. A veces, los versos se agrupan en estrofas. Usualmente, los versos y las estrofas tienen estas características:

- **Rima**: es la semejanza de los sonidos a partir de la última sílaba tónica de la palabra final de cada verso. En la **rima consonante**, a partir de la última sílaba tónica, las dos palabras terminan con las mismas consonantes y las mismas vocales, y en la **rima asonante**, son iguales las vocales, pero las consonantes difieren.
- **Ritmo**: le da musicalidad al poema al usar recursos como la rima y la repetición de palabras o de estrofas.

La poesía utiliza los siguientes recursos literarios para crear belleza y originalidad:

- **Personificación**: se les atribuyen cualidades de personas a objetos o animales.
- **Símil**: es una comparación entre dos elementos diferentes que se asemejan.
- **Metáfora**: es una comparación indirecta, que pretende designar a una persona, animal o cosa con el nombre de otro elemento con el que guarda algún parecido.

Ahora, lo hago yo

Me organizo

● Escribe un poema. Sigue estos pasos:

1 Piensa en algo que te inspire. Puede ser una persona, un paisaje, una experiencia, etc.

2 Escribe los sentimientos que te provoquen aquello en lo cual pensaste. Utiliza recursos literarios (personificación, símil o metáfora) para expresarlos.

3 Organiza las palabras en versos y en estrofas. Luego, añade ritmo al poema.

Lo escribo

● Redacta el borrador de tu poema teniendo en cuenta lo siguiente:

✓ Utiliza los versos y las estrofas que creaste sobre tus sentimientos. Puedes cambiarlos o ajustarlos según creas necesario.

✓ Usa la rima asonante o consonante. Puedes consultar el diccionario para buscar palabras que rimen.

✓ Léelo, en voz alta, para asegurarte de que tenga ritmo.

Me corrijo

● Lee, cuidadosamente, tu poema y determina si cumpliste con los siguientes criterios:

✓ ¿Lo organizaste en versos y en estrofas?

✓ ¿Utilizaste recursos literarios en tu poema?

✓ ¿Tiene rima asonante o consonante?

✓ Al leerlo, ¿tiene ritmo?

159

Espacio de tertulia

Declamo mi poema

Gracias a ese viejo árbol
descubrí que valoro a la naturaleza.
Ahora siento que la amo
y que no puedo vivir sin su grandeza.

Me cuesta trabajo creer
que ya no me revestirá su sombra somnífera,
que bajo él ya no veré el atardecer
y que pasó por mi vida de forma efímera.

Los que lo derribaron demuestran vasta ignorancia,
pues creen que son dueños de la naturaleza,
pero algún día los abandonará la arrogancia
y desearán que la sombra de ese viejo árbol los proteja.

Preparación

1 Memoriza el poema que escribiste.

2 Léelo en voz alta, de forma pausada y transmitiendo tus sentimientos. Pronuncia cada palabra correctamente.

3 Practica frente a un espejo tus gestos y movimientos. Recuerda que declamar un poema es casi como actuar.

Presentación

● Declama tu poema frente a tus compañeros. Ten en cuenta lo siguiente:

✓ Mantén tu cabeza en alto para que tu voz se escuche.

✓ Declama con pausas y sentimiento, sin olvidar la musicalidad y el ritmo.

✓ Mira a tus compañeros y haz gestos cuando sea necesario.

Autoevaluación

✓ ¿Me esforcé para que todos me escucharan? ❏ Lo hice bien. ❏ Puedo mejorar.

✓ ¿Transmití mis sentimientos a través de mi voz, al declamar mi poema? ❏ Lo hice bien. ❏ Puedo mejorar.

✓ ¿Hice gestos o movimientos que me ayudaran a comunicar lo que sentía? ❏ Lo hice bien. ❏ Puedo mejorar.

Reproductor de audio digital

Hoy en día, es común ver por las calles a las personas escuchando música en algún sistema reproductor de audio digital. Este es un aparato que guarda, organiza y reproduce archivos de audio digital. Hay tres tipos de reproductores: de discos compactos (CD), basados en *Flash* y basados en disco duro. Actualmente, estos últimos son los más populares, porque tienen más capacidad para almacenar canciones, ya que el audio digital se lee desde un disco digital. Los de discos compactos reproducen CD de audio, mientras que los basados en *Flash* almacenan el audio en tarjetas de memoria.

1 Escribe el singular o el plural de las siguientes palabras, según sea el caso.

- sistema
- reproductor
- común
- canciones
- archivos
- digital

2 Señala cuál es la función de los puntos suspensivos en las siguientes oraciones:

- Algunos reproductores de audio digital son: los basados en disco duro, los de discos compactos…

- Me van a regalar… ¡un reproductor de audio digital!

3 Como se menciona en el texto anterior, los reproductores basados en disco duro tienen más capacidad de memoria. ¿Crees que esta sea la única razón para que tengan mayor popularidad que los otros? Explica.

¡A pensar!

El arte del bonsái

El bonsái es el arte que reproduce fielmente los grandes árboles. Esto se hace al cultivar y transformar árboles pequeños mediante la poda y otras técnicas.

La palabra "bonsái" se origina de la unión de dos términos japoneses: *bon* (bandeja) y *sai* (planta), por lo que su traducción literal sería "planta en una bandeja".

Este arte se originó en la China hace dos mil años y, luego, se introdujo en el Japón hace 700 años. Su primera aparición en Europa fue en la Exposición Universal de París, en 1898.

CONOCER

● Selecciona la alternativa correcta.

a. El bonsái es el arte que reproduce fielmente:
- los animales.
- los grandes árboles.
- las calles del Japón.

b. *Bon* significa bandeja, y *sai* significa:
- capullo.
- agua.
- planta.

c. El arte del bonsái surgió en:
- la China.
- Francia.
- el Japón.

162

ANALIZAR

● Identifica en cuál de las siguientes ilustraciones se practica el arte del bonsái:

EVALUAR

● Lee la siguiente situación. Luego, argumenta.

A Mariano le gusta ver libros con fotos sobre diferentes tipos de árboles. Vio varias fotografías de bonsáis y quiso preparar una planta para que se viera como ellos.

Mariano tomó una planta que estaba en el patio y la recortó con unas tijeras para disminuir su tamaño, lo cual no tuvo resultados positivos. Evalúa las acciones de Mariano y explica qué pudo haber hecho para evitar ese problema.

Mi ambiente

Sin árboles, no existiría el arte del bonsái. No solo son la inspiración para crear los bonsáis, sino que los árboles mismos sirven de lienzo para su creación. Y es que la naturaleza misma es toda arte. Además de funcionar como los pulmones del planeta Tierra, son necesarios para embellecer los paisajes y para la creación de varios tipos de obras artísticas. Por todas esas razones, es necesario proteger los árboles que ya existen y sembrar otros. Si no hay árboles, no solo sufrirá el medioambiente, sino nuestra cultura, ya que sin la naturaleza, no hay arte, y al no haber arte, no hay cultura.

Sé que aprendí

1 Selecciona la palabra que complete cada oración. Luego, escribe una oración con la palabra que no usaste y haz un dibujo sobre ella. Puedes consultar el diccionario.

Ejemplo: La mermelada se conservará mejor si la guardas en un (carro /(tarro)).

Hoy me regalaron un carro nuevo.

a. ¿Por qué no te (meces / peces) en el sillón?

b. Hoy levantaron la (carpa / arpa) del circo.

c. Te esperé por más de dos (horas / moras).

d. Hoy me bañé en la (tina / tiza).

e. Estoy (alto / harto) de escuchar esa canción en la radio todos los días.

2 Identifica los errores de género y número en los sustantivos, en la siguiente carta. Luego, reescríbela de forma correcta.

Querida Valentina:

Prima, ¡te envío muchos saludo! Hoy estuve ocupado porque llevé a mi hijo al pediatro. Él me dijo que el virus que tiene Nandito le ha dado a varias familia, lo cual ha resultado en una crisises en todo el País. Por su enfermedad, no he podido llevarlo al cine. ¡Si supieras! Él está loco por ver aquella película en la que sale su actora favorita, pero así de enfermo no podrá ir.

Espero que ya esté mejor de aquí a dos semanas, ya que para esas fechases será su cumpleaño y estoy organizándole una fiesta. Nandito está muy ilusionado con ese día porque él invitó a todo sus amigoses.

Con esto me despido por ahora, porque tengo que darle la medicina al chiquillo. ¡Mándale saludo a tu familia!

Un abrazo,

Esteban

---

3 Actualmente, varias compañías y comunidades han unido esfuerzos para concienciar de manera creativa a la población sobre la contaminación y lo que debemos hacer para mejorar el medioambiente. Uno de estos esfuerzos por parte de los ciudadanos fue la creación de la poesía ecológica, la cual se ha popularizado en Internet. Bajo la supervisión de un adulto, busca y lee un poema ecológico en Internet. Luego de leerlo, reflexiona y argumenta: ¿crees que sean una buena alternativa para concienciar a los demás sobre los problemas ambientales? ¿Por qué? De no ser una buena alternativa, ¿qué sugieres? Recuerda, al redactar la reflexión, utilizar correctamente el género y el número del sustantivo.

4 Trabaja en tu libreta un mapa de concepto en el cual indiques los usos de los puntos suspensivos, según lo estudiado en clase. Utiliza el siguiente diagrama como modelo:

DiARiO REFLEXivO

● Contesta:

a. ¿Qué importancia tiene el poder diferenciar las palabras parónimas?

b. ¿Hubo algo que no entendieras sobre el género y el número de los sustantivos? Explica.

c. ¿Tuviste alguna dificultad al usar los puntos suspensivos? De tener alguna, menciónala.

d. ¿Te parece que sea importante que la poesía tenga rima? Argumenta.

Tiempos de cambio

¡VAMOS A HABLAR!

- ¿Qué época se representa? ¿Cómo lo sabes?
- Estos padres con sus respectivos hijos, ¿pertenecen a la misma nacionalidad? Explica.
- ¿Qué crees que representen ambas familias dentro de la historia de Puerto Rico?
- ¿Cómo te sentirías si un día tu país sufriera un cambio drástico?

EN ESTE CAPÍTULO...

- ✓ podrás reconocer, identificar y utilizar los gentilicios.
- ✓ aprenderás sobre los artículos indefinidos y los determinantes numerales.
- ✓ escribirás correctamente palabras con la *b* y la *v* dentro de las oraciones.
- ✓ conocerás lo que es la ficción histórica y la importancia de la ambientación en ella.
- ✓ redactarás una ficción histórica destacando su ambiente.
- ✓ narrarás tu ficción histórica en el salón de clases.

VENTANA AL VERDE

- ● Reflexiona:

  Para las tortugas, la arena en la playa es importante. En ella, las tortugas depositan sus huevos para que puedan encubarse.

  - ¿Qué ocurriría si las playas y la arena estuvieran contaminadas?

Luisa y la libertad

La tarde estaba soleada. Era un perfecto día de verano. En la playa, los niños jugaban cerca de los pescadores. Todos los días, estos se hacían a la mar en busca del **sustento** para sus familias. Uno de ellos era José, el papá de Luisa.

A Luisa le gustaba ir a la playa a jugar con los niños del poblado. Era una forma de divertirse, mientras estaba cerca de su padre.

Esa tarde, Luisa vio llegar a un pescador que nunca había visto. Definitivamente, este extraño hombre que llegaba no era del lugar.

—Hola. ¿Cómo le va? —preguntó con acento gracioso a uno de los pescadores.

—Aquí, en la lucha —dijo el pescador—. Es usted nuevo por aquí, ¿verdad?

—Sí, vengo del norte de la Isla —contestó el hombre extraño.

—Y, ¿qué viene a hacer acá? —preguntó el papá de Luisa.

—A pescar, amigo, vengo a pescar —respondió—. Me han dicho que no quieren bien a los españoles por acá.

—Bueno, al parecer no tanto como en el norte de la Isla —comentó con desconfianza otro pescador.

En el poblado de Luisa y en los poblados cercanos, los puertorriqueños ya no veían con muy buenos ojos a los españoles.

—Esta bahía es muy bonita —dijo el hombre extraño, intentando cambiar el tema.

• **sustento:** alimento y conjunto de cosas necesarias para vivir.

—Entonces, amigo, —lo interrumpió José— ¿usted tiene trato con españoles?

—Yo tengo tratos con todo el mundo, amigo —dijo sonriendo, y se marchó.

Luisa había escuchado la conversación. Durante todo el día intentó descifrar de quién podía tratarse. ¿Por qué vino a Guánica? ¿Cuál era su interés en los españoles? Pero no encontró explicación, y el pescador nunca regresó.

Las siguientes semanas fueron muy confusas para Luisa. En el pueblo todos hablaban de cosas que ella no entendía.

—Dicen que llegarán por Fajardo —dijo un vecino mientras **departía** con José.

—¿Crees que esta vez sea cierto? —preguntó algo ansioso el padre de Luisa—. Hace meses la gente dice que llegarán, pero nunca pasa nada.

—Creo que esta vez sí llegarán —respondió el vecino—. Dicen que en Fajardo ya se están preparando.

"¿Quiénes estarán por llegar?", se preguntaba Luisa. "¿Qué pasará en Fajardo?" La niña no comprendía de qué hablaba su padre. Tampoco entendía por qué ese tema lo ponía tan ansioso.

—Papá, ¿quiénes están por llegar? —preguntó Luisa a su padre una mañana, mientras él tomaba su café.

—No sé de qué hablas —le dijo José.

—Todos estos días he escuchado a la gente del pueblo hablar de otra gente que llegará en barcos —dijo la niña.

—Muchacha, ¡esos no son temas de niños! —le dijo su padre con tono enérgico—. No repita eso. ¿Entendió, muchachita?

• **departía, de** *departir*: hablar, conversar.

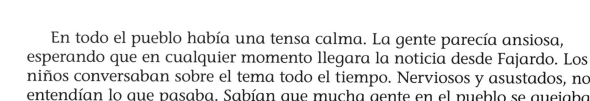

En todo el pueblo había una tensa calma. La gente parecía ansiosa, esperando que en cualquier momento llegara la noticia desde Fajardo. Los niños conversaban sobre el tema todo el tiempo. Nerviosos y asustados, no entendían lo que pasaba. Sabían que mucha gente en el pueblo se quejaba de España y sus leyes, y que los pocos españoles que había eran tratados con **recelo**. Pero no podían creer que la gente deseara una guerra. Siempre habían escuchado que en las guerras solo hay muertes y destrucción. Por eso, todo les parecía tan confuso.

Una mañana muy temprano, los gritos de la gente despertaron a Luisa. La noticia se había regado entre los vecinos.

—¡Llegaron, José, llegaron! —gritó un vecino, despertando a todos en casa de Luisa.

Rápidamente, José se levantó de su hamaca y comenzó a ponerse la camisa.

—¿Quiénes llegaron, Papi? —preguntó Luisa, asustada.

—Los americanos, hija, ¡los americanos! —exclamó con emoción José.

En ese instante, comenzaron a escucharse ruidos de cañones. Asomados a la ventana, la familia vio llegar a la Guardia Civil española marchando a toda prisa. A su paso se les unían varios vecinos.

—¡Por España! ¡Por Puerto Rico! —les escucharon gritar—. ¡Todos a defender la tierra!

• **recelo:** desconfianza.

170

De pronto, los vecinos comenzaron a salir de sus casas corriendo. Llevaban algunas de sus pertenencias. Uno de ellos llegó hasta la casa de Luisa.

—¡José, José! —gritó desesperado.

—¿Qué pasa? ¿Por qué marcha la Guardia? ¿Por qué los cañonazos? —preguntó nervioso el papá de Luisa.

—Están aquí, en Guánica. Desembarcaron en la bahía —dijo temeroso el vecino.

—¿Aquí? Pensé que sería en Fajardo —dijo José.

—Eso pensábamos todos, hasta la Guardia Civil —dijo el vecino—. Los han tomado **desprevenidos**.

—¿Y por qué todos corren? ¿A dónde van? —preguntó José.

—Unos vamos hacia Yauco, otros, a los campos —dijo el vecino—. Esto se pondrá muy peligroso. Saca a tu familia a tiempo, José.

El vecino se marchó corriendo junto a su familia. José y su familia comenzaron a recoger algunas cosas.

—Papi, ¿a dónde vamos? —preguntó Luisa con ojos **lacrimosos**.

—No sé, Luisa, —dijo José—. Tenemos que irnos ya. En el camino veremos.

La familia salió a toda prisa de la casita. A lo lejos, el ruido de los cañones continuaba. Los gritos y el sonido de las balas cada vez se escuchaban más cerca.

—¡Hirieron a Manuel y a Gilberto! ¡Hirieron a Manuel y a Gilberto! —gritaba un vecino pescador que vino corriendo desde la playa.

- **desprevenidos:** que no están preparados para algo.
- **lacrimosos:** que tienen lágrimas.

171

—¡Vienen hacia acá! ¡Corran! —gritó otro pescador que lo acompañaba.

Luisa y su familia caminaron durante varias horas. En el camino, vieron varias cuadrillas de soldados españoles que marchaban con sus armas hacia el poblado.

—¿Qué sucede, señores? —José le preguntó a gritos a los militares.

—Los americanos desembarcaron en la bahía. Están tomando el control del poblado —le contestó uno de los voluntarios que marchaba junto a los soldados.

—¡Libertad! —le dijo José a su familia—. ¡Al fin seremos libres!

—¿Libres, Papá? —preguntó Luisa—. ¿Libres de qué?

—De la Metrópoli, hija, —respondió su papá—. De España.

Luisa no entendía lo que sucedía. En su pequeño mundo nunca se sintió prisionera. Esta supuesta libertad la asustaba. Todo el mundo corría, todo el mundo gritaba. Había soldados, disparos y gente herida. Ella siempre pensó que la libertad era lo que sentía cuando jugaba y corría feliz en la playa.

—¿A dónde vamos, Papi? —otra vez preguntó Luisa—. Estoy cansada.

—Vamos a casa de mi tío Lalo —le respondió José—. Ya estamos llegando.

Finalmente, llegaron a una pequeña casita de madera en medio del campo.

—¡Tío Lalo, Tío Lalo! —llamó José, mientras abría el portón de una sencilla cerca.

El tío Lalo, que desconocía lo que pasaba, salió de la casita y recibió a la familia.

—Llegaron los americanos, Tío —le dijo José—. ¡Al fin seremos libres!

—Si tú lo dices, José, si tú lo dices… —le respondió el anciano.

172

Cuando fue por noticias, José se enteró de que el ejército español se había rendido en el poblado. La batalla ahora continuaría en Ponce.

Al cabo de unos días, la familia decidió regresar a su pequeña casa. En el camino, se toparon con unas personas que hablaban un idioma raro que Luisa no comprendía. La niña no entendía lo que sucedía.

—Papá, ¿y ahora qué pasará? —preguntó ansiosa Luisa.

—Seremos libres muy pronto, Luisa —le respondió el padre.

—Y cuando seamos libres, ¿qué pasará? —insistió la niña.

Pero el padre se quedó pensativo y no dijo nada. Luisa tampoco dijo nada, pero la ansiedad de no saber qué pasaría no parecía abandonarla.

Luego de unos días, José volvió a su trabajo. Luisa, como siempre, acompañaba a su padre. Pero ahora no jugaba feliz. Siempre pensaba en la libertad, esa palabra que no entendía, y en qué pasaría cuando todos fueran libres.

Una tarde, a la playa llegaron unos hombres que hablaban ese idioma raro que Luisa no entendía.

—Hola. ¿Cómo le va? —le dijo a un pescador uno de los hombres, con un acento muy gracioso.

En ese momento, Luisa recordó a aquel extraño pescador que había llegado a la playa semanas antes de la llegada de los norteamericanos. Entonces, supo que nada sería igual… Y siguió pensando en lo que pasaría cuando todos fueran libres.

Jessenia Pagán Marrero
(puertorriqueña)

OTRAS SENDAS...

La autora, Zulma Ayes, nos lleva a recorrer los momentos históricos de nuestro país en su libro *Don Vespertilio, el murciélago*. En él, nos presenta a nosotros, los lectores, al personaje de Don Vespertilio, quien era un murciélago que vivió hace muchos años. Sin embargo, nos dejó memorias en las que relata parte importante de la Historia de Puerto Rico desde un punto de vista muy particular.

Por las sendas

● Completa la siguiente ficha de lectura:

Ficha de lectura

a. La lectura trata sobre la llegada de ＿＿＿ a ＿＿＿.

b. Puerto Rico vivía bajo el Gobierno de ＿＿＿.

c. La protagonista de la lectura se llama ＿＿＿ y su papá, ＿＿＿.

d. El papá trabaja como ＿＿＿.

e. Luisa y su familia se fueron a casa de ＿＿＿.

f. Luisa no entendía la palabra ＿＿＿.

● Completa las estrellas de mar con la información que se pide.

Principio
¿Cómo se sentía Luisa al principio de la lectura? ¿Por qué?

Desarrollo
¿Qué sucesos provocaron cambios en Luisa?

Final
¿Cómo se sentía Luisa al final del cuento? ¿Por qué?

✓ ¿Por qué estaba Luisa asustada?

✓ ¿Cómo crees que se sentía José al vivir bajo el Gobierno de España?

✓ ¿Por qué eran vistos con recelo los españoles?

✓ ¿Cuál fue la reacción del tío Lalo ante la creencia de José de que, al fin, serían libres?

✓ ¿Por qué José no pudo responderle a Luisa qué pasaría cuando fueran libres?

EVALÚO Y CUESTIONO

☑ ¿Crees que los habitantes del pueblo se sentían tranquilos con la llegada de los norteamericanos? ¿Por qué?

☑ ¿Piensas que la manera como llegaron los norteamericanos fuera adecuada? Explica.

☑ Si hubieras vivido todo lo que vivió Luisa, ¿cómo te habrías sentido? ¿Qué habrías hecho? ¿Por qué?

DOY LO MEJOR DE MÍ

Educación multicultural

Tom es un niño norteamericano que acaba de llegar de los Estados Unidos, junto a sus papás. Como él no sabe mucho español, tiene problemas en entender a los demás. Iván se pasa molestando a Tom porque no sabe español y se aprovecha de eso. Pero, no todos los niños son así, ya que Eugenia ayuda a Tom, para que pueda comunicarse con los demás.

● Contesta:

• ¿Qué piensas del trato de Iván hacia Tom? Explica.

Con todos me comunico y mi ayuda siempre les brindo.

Los gentilicios

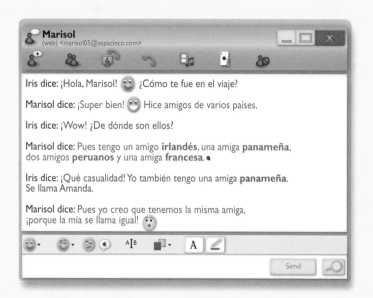

Iris dice: ¡Hola, Marisol! 😊 ¿Cómo te fue en el viaje?

Marisol dice: ¡Super bien! 😄 Hice amigos de varios países.

Iris dice: ¡Wow! ¿De dónde son ellos?

Marisol dice: Pues tengo un amigo **irlandés**, una amiga **panameña**, dos amigos **peruanos** y una amiga **francesa**. •

Iris dice: ¡Qué casualidad! Yo también tengo una amiga **panameña**. Se llama Amanda.

Marisol dice: Pues yo creo que tenemos la misma amiga, ¡porque la mía se llama igual! 😮

● Contesta:

  a. ¿Qué tienen en común las palabras destacadas en la conversación?

  b. ¿Puedes determinar de qué palabras se derivan?

  c. ¿Se podría llevar a cabo esa misma conversación sin el uso de esas palabras? Explica.

Todos los pueblos, ciudades y países tienen gentilicios.

Los **gentilicios** son palabras que indican el país, la ciudad o el pueblo en el que nace una persona. También se aplica a la procedencia de animales, plantas y objetos.

Los gentilicios se escriben siempre en minúsculas y se forman añadiendo sufijos. Sin embargo, la formación del gentilicio a partir del nombre del lugar presenta muchos casos tanto irregulares como regulares. En los casos regulares, los sufijos más comunes son -ano, -ana, -ense, -eño, -eña, -és, -esa, -ino, -ina, -ero, -era, -co y -ca.

Ejemplos:

✓ *Perú* → *peruano*

✓ *Nicaragua* → *nicaragüense*

✓ *Puerto Rico* → *puertorriqueña*

✓ *Irlanda* → *irlandés*

✓ *China* → *chino*

✓ *París* → *parisina*

✓ *Santiago de Cuba* → *santiaguero*

✓ *San Juan* → *sanjuanera*

✓ *Suecia* → *sueco*

✓ *República Checa* → *checa*

En algunos casos excepcionales, se utilizan otras terminaciones.

Ejemplos:

✓ Argos → argivo ✓ Egipto → egipcia

✓ Grecia → griego

Generalmente, los gentilicios se derivan del nombre del lugar. Sin embargo, cuando un gentilicio se compone de dos gentilicios distintos o más, el último de esa serie se deja en su forma original, se modifican los radicales de los otros al añadirles el sufijo -o y se separan todos con guiones.

Ejemplo:

✓ Italia, Francia, Canadá → italo-franco-canadiense

En Puerto Rico, además de nuestra ciudad capital, cada pueblo también tiene gentilicios.

Ejemplos:

✓ Bayamón → bayamonés

✓ Caguas → cagüeño

✓ Guaynabo → guaynabense

✓ Jayuya → jayuyano

✓ San Lorenzo → sanlorenceño

EN MI LIBRETA...

● Cambia el nombre del país por su gentilicio.

Ejemplo: Gerardo es de Costa Rica → Gerardo es costarricense.

● Franco es de Italia.

● Tengo un amigo de Finlandia y una amiga de Colombia.

● Mi primo es de Coamo.

● A Raúl le encanta la comida de España.

● Aunque vive en San Germán, Alicia es de Aguadilla.

● La cultura de Egipto es impresionante.

SE DICE ASÍ...

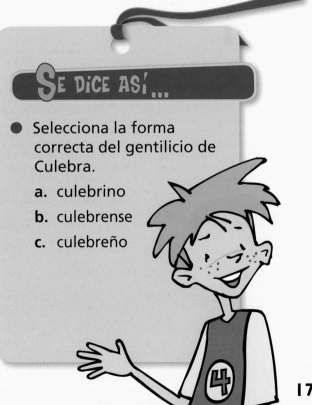

● Selecciona la forma correcta del gentilicio de Culebra.
  a. culebrino
  b. culebrense
  c. culebreño

Los determinantes numerales

Zapatos y más

¡Aprovecha la venta de regreso a clases!

Compra **dos** pares de zapatos y el **tercer** par te lo llevas gratis.

En calzado de niños, compra **tres** pares y te llevas el **cuarto** par gratis.

Oferta válida desde el 28 de mayo hasta el 30 de julio de 2010.

● Contesta:

   a. ¿Qué indican las palabras destacadas en el anuncio? ¿Para qué se usan?

   b. ¿Qué palabras acompañan?

Los **determinantes numerales** acompañan al sustantivo para señalar cantidad u orden. Existen dos clases:

- Los **numerales cardinales** indican cantidades exactas de seres u objetos y nombran números.

Ejemplos: Dos, tres.

- Los **numerales ordinales** indican el orden que ocupa un ser u objeto dentro de un grupo.

Ejemplos: Tercero, cuarto.

Los determinantes indefinidos

¿Lo pasaste bien en la fiesta?

Sí, pero creo que no **todo** el mundo se divirtió.

¿Por qué? ¿Pasó algo?

Unos niños se aburrieron y **varias** niñas se empacharon al comerse **toda** la comida. **Otros** invitados casi se ahogaron en la piscina.

● Contesta:

a. ¿Para qué se utilizan las palabras destacadas en la tirilla?

b. ¿Qué palabras acompañan?

c. ¿Qué importancia tienen al momento de señalar a un sustantivo?

Los determinantes indefinidos

¿qué son?

Acompañan al sustantivo para expresar nociones de cantidad, identidad o de otro tipo de manera vaga o indeterminada.

¿cuáles son?

Un, una, unos, unas, otro, poco, mucho, bastante, demasiado, varios, todo, etc.

ejemplos

Unos niños se aburrieron y **varias** niñas se empacharon al comerse **toda** la comida.

Otros invitados casi se ahogaron en la piscina.

Hay otros determinantes indefinidos que afirman o niegan la existencia de algo.
Ejemplos: alguna, ningún, cualquier, quienquiera.

179

En mi libreta...

Los determinantes numerales

● Escribe los determinantes numerales de cada oración. Luego, identifica si son cardinales u ordinales.

• Mami hizo veinte pastelillos de queso.

• Gané el primer lugar en la competencia.

• Las primeras cuarenta personas en llegar se podrán llevar dos libros gratis.

• Faltan treinta y dos días para que termine el año.

• Fuimos los primeros invitados en llegar.

Los determinantes indefinidos

● Identifica los determinantes indefinidos en las siguientes oraciones:

• Unas personas protestaron en un parque.

• Algunos niños llegaron primero a la fiesta.

• Había mucha gente en la fiesta.

• Cualquier persona puede entrar en la actividad.

• Me sirvieron demasiada comida.

• Varias personas se quejaron.

> Los determinantes numerales y los indefinidos forman parte de nuestra habla cotidiana. Por eso, es tan importante conocerlos y diferenciarlos.

Taller de Gramática

● Entrevista a un familiar y pregúntale sobre algún primer día de clases que haya sido memorable para él o ella. Sigue estos pasos:

• Haz una lista de preguntas que le harías a ese familiar.

• Mientras estés entrevistándolo, toma notas de sus respuestas. También, puedes utilizar una grabadora.

• Identifica en tus anotaciones o en tu grabación las oraciones que tengan determinantes numerales e indefinidos. Luego, escríbelas.

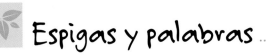
El uso de la b y la v

Mudanzas Don Víctor

"Serbicio con responsavilidad"

Llebamos todo tipo de muebles.
787-555-0000

● Contesta:

• ¿Las letras *b* y *v* se utilizan de forma correcta en la tarjeta de presentación? Explica.

AHORA SÉ QUE...

Se usa la letra **b**:

✓ cuando al sonido *b* lo sigue una consonante.

✓ cuando las palabras comienzan con *bu-* (excepto, por ejemplo, vudú), *bur-* o *bus-*.

✓ en las palabras que terminan en *-bilidad*, *-bundo*, *-bunda*, (excepto, por ejemplo, movilidad y civilidad).

Se usa la letra **v**:

✓ en los sustantivos y adjetivos terminados en *-ava*, *-ave*, *-avo*, *-eve*, *-evo*, *-ivo*, *-ive*, *-iva*.

✓ después de *b* y *n*.

EN MI LIBRETA...

● Completa las palabras con *b* o *v*.

• vaga_undo
• octa_o
• _urlar
• responsa_ilidad
• in_entor
• nu_lado
• de_ol_er
• _lusa

• la_a
• ama_ilidad
• mori_undo
• nue_e
• lla_e
• _razo
• _loque
• detecti_e

SE ESCRIBE ASÍ...

Algunas formas de los verbos *andar, estar* y *tener* que llevan el sonido *b* se escriben con *v*.

anduvo   estuvo   tuvieron

Esta regla no aplica a las terminaciones del pretérito imperfecto del indicativo (andaba, andabas, andaban, andábamos, estaba, estabas, estábamos, etc.).

● Escribe una oración con uno de los tres verbos del ejemplo.

Sueños de libertad

El quinqué alumbraba las losetas españolas, residuos del Gobierno español que alguna vez rigió a la República Dominicana. La voz del doctor Ramón Emeterio Betances también alumbraba la casa en donde se alojaba con sus compañeros de lucha. Estos lo ayudarían a cumplir su sueño y el de muchos otros puertorriqueños: liberar a Puerto Rico de España.

—Mis queridos compatriotas, con su sacrificio en el Grito de Lares, nuestra amada patria quedará libre de las garras opresoras del imperio español —les decía el "Padre de la Patria" a sus hombres—. ¡Lo lograremos!

Sus palabras arrancaron vítores de quienes lo asistirían a cumplir ese sueño. De repente, se escucharon unos golpes en la puerta principal.

—Venimos en nombre del Gobierno dominicano. Abran la puerta —se le escuchó decir a un hombre.

El "Médico de los pobres" abrió la puerta de madera. Jamás se imaginó que le abría paso al fin de su sueño.

—Por órdenes expresas del presidente de la República Dominicana, el honorable Buenaventura Báez, se le prohíbe la salida del territorio dominicano al señor Ramón Emeterio Betances y a aquellos que lo acompañan —leyó de un pergamino uno de los hombres.

El quinqué se desplomó en el piso. Junto con el vidrio que lo rodeaba, se hicieron pedazos los sueños de libertad de Betances.

Mercedes Zoé Carrillo Méndez
(*puertorriqueña*)

La **ficción histórica** es un relato ficticio que tiene elementos históricos como personas, eventos o épocas. En ella, el autor cuenta su propia versión de lo sucedido, al tratar acontecimientos que marcaron la Historia. Esos datos y/o personajes históricos se combinan con personajes y/o situaciones ficticios.

El propósito de la ficción histórica es entretener a los lectores al transportarlos al pasado y, así, darles otra versión de la Historia. A su vez, se describen sentimientos que los personajes reales podrían haber sentido en esos momentos, mientras que la Historia solo ofrece los datos de manera objetiva, o sea, sin especificar cómo se sienten los personajes históricos.

Para lograr una buena ficción histórica, además de usar datos históricos, se debe hacer buen uso del ambiente. Gran parte del éxito de este tipo de texto recae en este aspecto, ya que con solo mencionar y describir objetos utilizados en una época pasada, el lector puede transportarse a ella.

Ahora, lo hago yo

Me organizo

- Escribe una ficción histórica destacando el ambiente. Sigue estos pasos:

1 Escoge algún suceso histórico que te llame la atención.

2 Busca información sobre el suceso que seleccionaste. Es importante que conozcas bien no solo la Historia, sino la época en que ocurre.

3 Piensa y anota qué elementos y/o personajes ficticios le añadirías a ese suceso histórico.

Lo escribo

- Redacta el borrador de tu ficción histórica teniendo en cuenta lo siguiente:

✓ ¿Qué elementos históricos se utilizarán?

✓ ¿Qué personajes (históricos o ficticios) participarán?

✓ ¿Cuál será el inicio, el desarrollo y el desenlace?

Me corrijo

- Lee atentamente tu ficción histórica y determina si cumpliste con los siguientes criterios:

✓ ¿Está basado en un suceso histórico?

✓ ¿Ubicaste el tiempo y el lugar de los hechos?

✓ ¿Hiciste una buena relación entre los elementos históricos y ficticios?

✓ ¿Destacaste el ambiente?

Narro mi ficción histórica

¡Me encanta leer Historia! Todas las tardes, después de estudiar, me siento en la butaca a leer libros de historia y enciclopedias. Al leer, me transporto a países y soy testigo de sucesos que cambiaron el mundo. Desde el encuentro entre razas, hasta la conquista de Puerto Rico en 1521, ellos han sido mi inspiración para crear nuevos relatos de cómo se sintieron sus protagonistas. Luego de escribirlos, se los leo a mis padres. Ellos, al igual que yo, se transportan a otras épocas.

Preparación

1 Repasa la ficción histórica que redactaste.

2 Lee en voz alta tu texto.

3 Busca fotos o mapas del país y los lugares en donde se desarrolla tu escrito, o fotos de algún personaje histórico que participe en tu relato. Luego, pégalos en una cartulina en el orden que consideres necesario.

Presentación

● Lee y narra tu ficción histórica frente a tus compañeros. Ten en cuenta lo siguiente:

✓ Coloca la cartulina en un lugar visible en el salón.

✓ Presenta el título.

✓ Lee tu texto pausadamente, pero con emoción, para mantener la atención.

Autoevaluación

✓ ¿Leí mi texto pausadamente? ☐ Lo hice bien. ☐ Puedo mejorar.

✓ ¿Utilicé fotos adecuadas que acompañaran mi narración? ☐ Lo hice bien. ☐ Puedo mejorar.

✓ ¿Presenté el título? ☐ Lo hice bien. ☐ Puedo mejorar.

✓ ¿Capté la atención de los demás? ☐ Lo hice bien. ☐ Puedo mejorar.

184

Punto de encuentro

Enlace con Estudios Sociales

La invasión

Una invasión es una operación militar que consiste en el ingreso de las fuerzas armadas en una región, con el objetivo de conquistarla o de cambiar el gobierno establecido. Las invasiones siempre traen intercambios culturales que le dan forma al gobierno, a la religión y a la tecnología de un territorio. Una invasión puede ocurrir por varias causas. Algunas de ellas son: recuperar un territorio, perseguir a los enemigos, proteger a los aliados, adquirir colonias (como en el caso de Puerto Rico, por ejemplo), proteger las rutas o los recursos naturales, entre otras. Hay tres tipos de invasión: por tierra, por mar o por aire.

1 Escribe oraciones que incluyan determinantes numerales y/o indefinidos con las siguientes palabras:

- operación
- gobierno
- enemigos
- aliados
- rutas
- territorio

2 Los países a continuación han sido partícipes en invasiones. Escribe el gentilicio que le corresponde a cada uno de ellos:

- Grecia
- Inglaterra
- México
- Rusia
- China

3 A través de la Historia, las invasiones han afectado a los ciudadanos de alguna manera u otra, por los cambios y las luchas violentas que ocasionan. Reflexiona si es posible lograr los propósitos de una invasión sin tener que recurrir a ella. Sugiere qué otras alternativas puede tener un país y explícalas.

¡A pensar!

El arte del vitral

El vitral se realiza con vidrios de colores que forman diseños, figuras o imágenes. Se cortan en fragmentos, siguiendo el modelo del dibujo que se quiere representar.

Usualmente, este arte se encuentra en forma de ventanas o paneles individuales, compuestos de vidrios de colores. La luz los traspasa y se transforma en luz coloreada.

Para unirlos, el artista escoge los vidrios de colores que va a usar, los corta y los ensambla con tiras de plomo, de acuerdo con el diseño. Luego se sueldan y se les aplica esmalte oscuro para lograr los efectos de color y los detalles.

CONOCER

● Escoge la alternativa correcta.

a. El arte del vitral se realiza con...

• plástico. • vidrios de colores. • madera.

b. La luz que traspasa los vitrales...

• no tiene efecto alguno. • se transforma en luzcoloreada. • los daña.

c. El esmalte oscuro que se les aplica a los vitrales tiene como propósito...

• lograr los efectos de color y los detalles.

• ensamblar los cristales.

• producir una luz coloreada.

APLICAR

● Diseña tu propio vitral. Para ello, utiliza: un papel en blanco, un lápiz, lápices de colores y un marcador negro con el que trazarás las líneas que simularán las tiras de plomo. Para inspirarte, puedes observar la foto de la página anterior y/o las que están a continuación:

ANALIZAR

● Como ya sabes, los vitrales se hacen al unir pedazos de cristales de colores con el propósito de formar diseños o figuras. Imagina si, en vez de hacer eso, se tomara un pedazo grande de cristal y se dibujara sobre él. Analiza y explica: ¿crees que en ese caso se obtendría el mismo resultado que se consigue al unir pedazos de cristal?

Mi ambiente

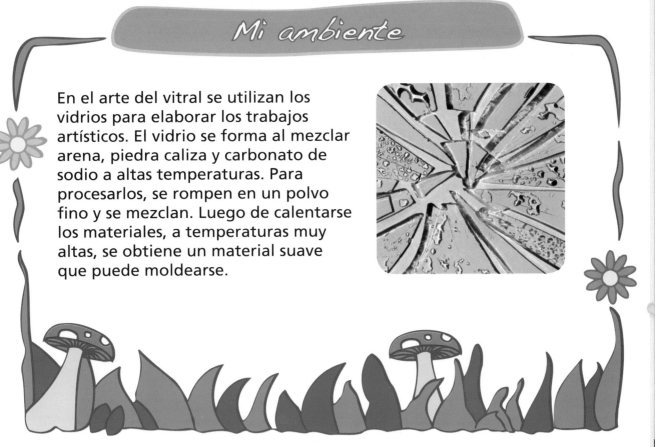

En el arte del vitral se utilizan los vidrios para elaborar los trabajos artísticos. El vidrio se forma al mezclar arena, piedra caliza y carbonato de sodio a altas temperaturas. Para procesarlos, se rompen en un polvo fino y se mezclan. Luego de calentarse los materiales, a temperaturas muy altas, se obtiene un material suave que puede moldearse.

187

Sé que aprendí

1 Lee las siguientes tirillas e identifica en cuál de ellas se usan los gentilicios correctamente. Luego, crea tu propia tirilla con otros gentilicios.

Mi papá es comeriano y mi mamá es riopedreña. Y su familia, ¿de dónde era, don Pablo?

Mis papás eran franceños, pero mi abuela era vegabajariana y mi abuelo era españoleño.

Mi papá es comerieño y mi mamá es riopedrense. Y su familia, ¿de dónde era, don Pablo?

Mis papás eran franceses, pero mi abuela era vegabajeña y mi abuelo era español.

2 Haz un dibujo para cada oración. Recuerda que cada dibujo debe ilustrar los determinantes numerales utilizados.

Ejemplo: Soy el último niño en la fila.

a. En la foto, Tatiana es la tercera de izquierda a derecha.

b. Una gallina cruzó la calle junto a sus diez pollitos.

c. Mi abuela tiene dos gatos.

3 Observa estas fotos de Luisa. Luego, escribe una oración con determinantes indefinidos que describa lo que sucede en cada foto.

4 Identifica las palabras que están mal escritas con *b* o con *v*. Luego, escribe una oración con su forma correcta.

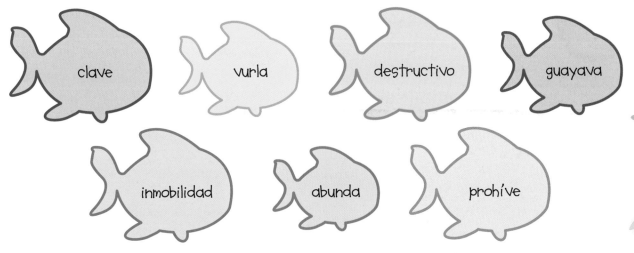

clave

vurla

destructivo

guayava

inmobilidad

abunda

prohíve

DIARIO REFLEXIVO

● Contesta:

a. ¿Conoces la importancia de los gentilicios? Explica.

b. ¿Puedes explicar la diferencia entre los numerales cardinales y los numerales ordinales? ¿Cuál es?

c. ¿Comprendiste en qué momentos se debe usar la letra *b* y en qué momentos se debe usar la *v*? Explica.

d. ¿Por qué la ambientación es tan importante en la ficción histórica?

Fideicomiso de Conservación de Puerto Rico

Reserva Natural Hacienda La Esperanza

- La Hacienda La Esperanza como Reserva Natural

- Investigaciones en la Reserva Natural Hacienda La Esperanza
  - ✓ hallazgos arqueológicos
  - ✓ Programa de Ciudadano Científico

- Valor ecológico de la hacienda
  - ✓ ecosistemas
  - ✓ flora y fauna

¿Por qué es importante?

Te habíamos comentado que la Reserva Natural Hacienda La Esperanza es el área natural protegida de mayor extensión y diversidad ecológica de la costa norte de Puerto Rico. Por esta razón, en 1987, los terrenos de la Hacienda La Esperanza fueron designados Reserva Natural por el Departamento de Recursos Naturales. Esa designación reconoció y estableció la base legal para el uso de la hacienda con fines de conservación, investigación, preservación y restauración.

El uso de la Hacienda La Esperanza, para la investigación, ha promovido una serie de excavaciones, cuyos resultados han sido hallazgos arqueológicos pertenecientes a tres culturas indígenas: los igneri, los ostionoides y los taínos. Uno de los descubrimientos más importantes, realizados en la hacienda, es el primer centro ceremonial indígena hallado en la zona costanera; único en la región del Caribe. Además, se han hallado un parque ceremonial de pelota, cuatro plazas, petroglifos y un cementerio indígena.

En la actualidad, la Reserva Natural Hacienda La Esperanza es el primer área natural del Fideicomiso de Conservación que cuenta con un programa que incorpora a los ciudadanos en investigaciones científicas. Este programa se llama *Programa de Ciudadano Científico* y su propósito es lograr un mayor conocimiento de los ecosistemas y de la historia arqueológica del lugar, de manera que el público general participe activamente en la conservación de la reserva.

Las investigaciones que se llevan a cabo en la hacienda son seis: la relación entre las aves y los hábitats en los humedales; la dispersión de las semillas, los murciélagos, las aves y la cara cambiante de los ecosistemas; la Ecología y la población del juey común; la historia humana en la Hacienda La Esperanza; los patrones de floración y fructificación; y nuestras costas y los procesos que las impactan. La reserva, además, cuenta con una muestra de los distintos usos del terreno de la hacienda a través de su historia, para actividades agrícolas, como el cultivo de la caña y de los frutos menores, la producción de heno y el pastoreo de ganado.

El valor ecológico de la Reserva Natural Hacienda La Esperanza es muy importante si consideramos que en sus predios se encuentran cerca de diez ecosistemas distintos, en los que se incluyen cuatro tipos distintos de bosque, humedales, dos importantes estuarios y un amplio llano aluvial. Debido a la diversidad de ecosistemas que posee, la fauna de la reserva también es diversa: crustáceos, reptiles, anfibios, peces y aves endémicas, además de migratorias. De igual modo, su flora es muy rica, como lo evidencia la presencia de helechos diminutos de agua, muy escasos en Puerto Rico.

Como has visto, la Hacienda La Esperanza es un área natural de gran biodiversidad, que permite realizar investigaciones de interés ecológico, cultural e histórico.

Sabías que...

Los humedales son zonas de la superficie terrestre que están temporal o permanentemente inundadas, reguladas por factores climáticos y en constante interrelación con los seres vivos que las habitan. Esta Reserva Natural alberga varios tipos de humedales y manglares que existen en la Isla.

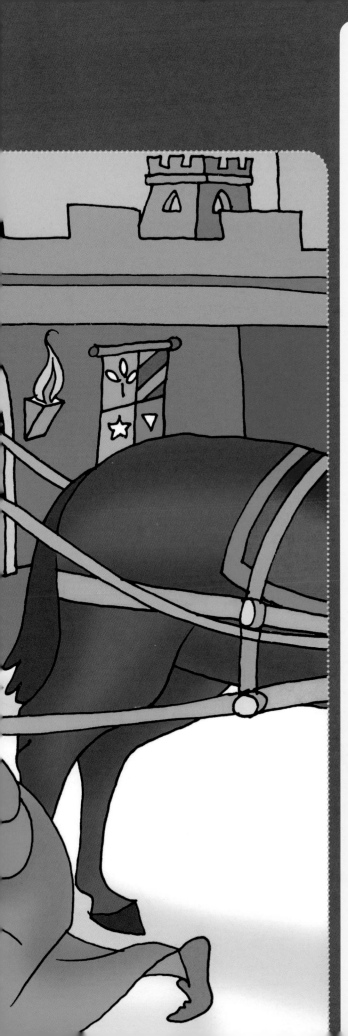

¡VAMOS A HABLAR!

- ¿Qué hace el rey? ¿Es su obligación? ¿Por qué?
- ¿Qué pasaría si el rey no hubiera hecho eso?
- ¿Alguna vez le has demostrado tu generosidad a alguien? ¿Cómo?

EN ESTE CAPÍTULO...

✓ escribirás correctamente las palabras homónimas.

✓ reconocerás y aplicarás los grados del adjetivo, las frases adjetivas y el epíteto.

✓ escribirás correctamente palabras con la *g* y la *j*.

✓ conocerás las características de la noticia.

✓ redactarás una noticia.

✓ presentarás oralmente tu noticia.

VENTANA AL VERDE

- Reflexiona:

  El lodo es uno de los primeros materiales que las civilizaciones antiguas usaron para construir sus viviendas.

  - Además de la tierra, ¿qué otro recurso natural es necesario para crearlo?

Cuestión de suerte

Hace mucho tiempo, en un reino lejano, se robaron las joyas de la princesa. El suceso causó una gran conmoción y el rey prometió la mano de su hija a quien lograra recuperarlas. Eso sí: los candidatos deberían encontrar las joyas antes de tres días; de lo contrario, serían severamente castigados.

En aquel lejano reino vivía un muchacho muy pobre llamado Juan Grillo.

—Puedes ir tú —le propuso su madre—. Eres listo y seguro que descubres quién ha sido.

—Este…, yo… yo no creo que sea buena idea, madre… ¿Y si no lo averiguo?

Pero tanto insistieron los padres del joven que, al final, el muchacho no tuvo más remedio que acceder.

Tras varios días caminando, Juan llegó al palacio.

—Acompáñame —le dijo secamente el guardia al recibirlo.

El muchacho comenzó a arrepentirse de su **resolución**.

• **resolución:** decisión.

"Grillo, no debiste haber venido…", pensó.

Juan y el **centinela** recorrieron en silencio interminables pasillos y galerías y, por fin, llegaron a una modesta habitación.

—Aquí vivirás durante estos tres días —dijo el hombre—. ¡Buena suerte!

Cuando el guardia se marchó, Juan se quedó escuchando sus pasos hasta que se perdieron en la lejanía. En aquel momento se sintió terriblemente solo y asustado. Se acomodó en una silla e intentó concentrarse en el robo. Y así fueron pasando las horas, una tras otra, hasta que el sol se ocultó. Entonces, al anochecer, llegó un criado.

—Aquí tienes tu comida. Si quieres algo más, avísame.

Juan, angustiado por no haber descubierto nada aquel primer día, exclamó, mientras salía el criado:

—¡Ya ha pasado uno!

• **centinela:** soldado que vigila el puesto que se le ha encargado.

Al oír las palabras de Juan, el hombre se asustó mucho. Él y otros dos compañeros suyos habían robado las joyas. ¡Y Juan Grillo parecía haberlo descubierto! Como alma que lleva el diablo, el ladrón se presentó en la cocina y, atropelladamente, les contó a sus compinches lo que ocurría.

Muy preocupados, los tres hombres tomaron la decisión de turnarse en servir la comida de Juan: así comprobarían si el muchacho los reconocía a todos.

Amaneció el segundo día. Juan Grillo, ajeno a la inquietud de los criados, seguía buscando una solución al enigma del robo. Cada vez **apremiaba** más encontrar la respuesta. El día pasó volando y, de nuevo, llegó la noche. El segundo criado fue a servir al muchacho.

—Estas viandas te vendrán bien— dijo, queriendo resultar agradable.

Juan miró indiferente la comida y exclamó:

—¡Ya han pasado dos…!

No había duda: el joven parecía saber toda la verdad.

• **apremiaba**, de *apremiar*: urgir.

196

Intentando mantener la calma, los criados esperaron al tercer día. Al anochecer, el tercero de los ladrones llegó con la comida:

—¡El final se acerca! ¡Ya han pasado los tres! —dijo Juan.

Entonces, sin poder contenerse más, el criado se arrojó a los pies del muchacho.

—Sí, ¡hemos sido nosotros! Te diré dónde están las joyas… Pero, por favor, no nos delates. ¡Ten compasión! —suplicaba.

Y, como Juan tenía un corazón de oro, decidió que le devolvería las joyas al rey sin decir nada de los ladrones. A cambio, ellos se marcharon del palacio para siempre.

Cuando el rey tuvo las joyas, mandó llevar a Juan a su presencia.

—Te concedo la mano de mi hija —dijo solemnemente.

La princesa miró al joven y Juan advirtió un brillo triste en los ojos de la muchacha. Entonces, ocurrió algo **insólito**: ¡Juan Grillo renunció a casarse!

"Después de todo", pensó, "no se puede mandar en el amor".

Aquel gesto de generosidad alegró sobremanera a la muchacha y dejó, profundamente, admirado al rey. Por ello, Juan fue nombrado consejero real. Y desde aquel día, vivió en el palacio y se convirtió en uno de los más fieles colaboradores del monarca.

Anónimo
(España)
(Adaptación)

En el libro *Leyendas sobre secretos,* de Eduardo Lalo, autor puertorriqueño nacido en Cuba, se reúnen dos secretos: uno de amor y otro de odio. Con estos secretos, algunos encontrarán la muerte; mientras que otros hallarán su venganza.

• **insólito:** raro, que no sucede casi nunca.

197

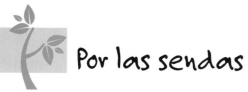

Por las sendas

Me informo

● Ordena del 1 al 5 los sucesos de la lectura.

Juan Grillo renuncia a casarse y es nombrado consejero real.

El rey le concede a Juan Grillo la mano de su hija.

Robaron las joyas de la princesa.

Uno de los criados le confiesa a Juan Grillo que robó las joyas junto a dos criados.

Los padres de Juan Grillo le proponen que descubra quién robó las joyas de la princesa.

Interpreto

● Lee el fragmento. Luego, contesta las siguientes preguntas:

1 ¿Cómo supo Juan Grillo que la princesa no quería casarse con él?

2 ¿Por qué el acto de Juan Grillo se considera "insólito"?

3 ¿Qué característica vio el rey en Juan Grillo, para decidir que merecía el puesto de consejero real?

La princesa miró al joven y Juan advirtió un brillo triste en los ojos de la muchacha. Entonces, ocurrió algo insólito: ¡Juan Grillo renunció a casarse!

"Después de todo", pensó, "no se puede mandar en el amor".

Aquel gesto de generosidad alegró sobremanera a la muchacha y dejó, profundamente, admirado al rey. Por ello, Juan fue nombrado consejero real. Y desde aquel día, vivió en el palacio y se convirtió en uno de los más fieles colaboradores del monarca.

✓ ¿Cómo se sentía Juan Grillo ante la idea de sus padres de ayudar a recuperar las joyas? Explica.

✓ ¿Por qué el primer guardia creyó que Juan Grillo lo había descubierto con tan solo decir "¡Ya ha pasado uno!"?

✓ ¿Cuál fue el plan de los tres criados? ¿Por qué lo llevaron a cabo?

EVALÚO Y CUESTIONO

☑ ¿Crees que Juan Grillo hizo mal al no denunciar a los ladrones de las joyas? ¿Por qué?

☑ ¿Piensas que los ladrones debieron haberle confesado el robo directamente al rey? Explica.

☑ ¿Habría sido correcto que Juan Grillo aceptara casarse con la princesa, a pesar de que no se amaban? ¿Por qué?

DOY LO MEJOR DE MÍ

Educación para la paz

Nano fue a la farmacia con su amigo Gregorio. Cuando estaban en el pasillo de los dulces, Gregorio tomó varios chocolates y los colocó dentro de su chaqueta. A Nano le pareció algo extraño, pero pensó que su amigo los pagaría. Cuando salieron de la farmacia, Nano le preguntó a Gregorio si no iba a pagar los chocolates. Gregorio le contestó que no.

● Contesta:

• ¿Qué acción debe tomar Nano ante lo que hizo Gregorio?

Al robar, no solo engañamos a los demás, sino a nosotros mismos.

Ramillete de palabras

Los homónimos: homógrafos y homófonos

- Contesta:

  a. ¿En qué se parecen y en qué se diferencian las palabras destacadas en la tirilla?

  b. ¿Crees que produzcan confusión? ¿Por qué?

Es importante conocer bien los homógrafos y los homófonos para evitar confusiones o malentendidos.

Los **homónimos** son palabras que se pronuncian o se escriben igual, pero que tienen significados diferentes. Existen dos clases de homónimos: los **homógrafos** y los **homófonos**.

Los **homógrafos** son palabras que se escriben exactamente igual, pero tienen significados distintos.

Ejemplos:

✓ *Viste, del verbo* **ver**: *percibir por los ojos.*
Viste, del verbo **vestir**: *cubrir.*

¿Viste ahora por dónde va?
La estrella viste con su luz el cielo de la noche.

✓ *Cerca: valla o muro que rodea algo para protegerlo.*

Cerca: que está a corta distancia.

Celia pintó la cerca de color blanco.
Mis abuelos viven cerca de mi escuela.

✓ *Como, del verbo* **comer**: *alimentarse.*

Como: comparación entre dos entidades.

Me gusta tomar agua mientras como.
Es tan pequeño como un ratón.

Los **homófonos** son palabras que tienen la misma pronunciación, es decir, suenan igual, pero se escriben de forma diferente y tienen distintos significados.

Ejemplos:

✓ *Ves, del verbo **ver**: percibir por los ojos.*

Vez: tiempo, turno sucesivo.

¿Ves la estrella fugaz?
Cada vez que pasa, le pido un deseo.

✓ *Cocer: hacer que un alimento crudo llegue a estar en disposición de poder comerse, calentándolo en un líquido puesto al fuego.*

Coser: unir con hilo enhebrado en la aguja.

Hay que cocer las habichuelas.
La semana pasada compré una máquina de coser.

✓ *Cierra, del verbo **cerrar**: asegurar algo con una cerradura para que no se abra.*

Sierra: herramienta para cortar madera u otros objetos duros.

Cierra la puerta, por favor.
Necesitamos una sierra para construir la casita del perro.

EN MI LIBRETA...

● Lee las siguientes oraciones e identifica los homónimos. Luego, clasifica las palabras en homógrafas u homófonas.

- Soy feliz cuando mi papá vela mis sueños.
- Hoy leí un cuento que me dio miedo.
- La vela se derritió sobre el libro.
- Si te meces muy rápido en el sillón, te puedes caer.
- El rey le dejó sus bienes a su hija.
- Hace meses que no voy a Francia.
- ¿Vienes o te quedas?
- Mañana te cuento la película.

SE DICE ASÍ...

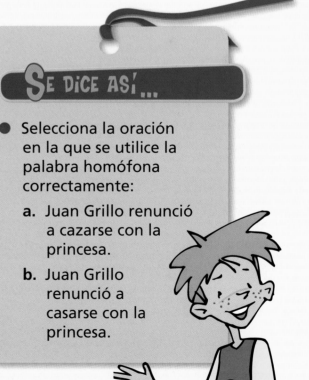

● Selecciona la oración en la que se utilice la palabra homófona correctamente:

a. Juan Grillo renunció a cazarse con la princesa.

b. Juan Grillo renunció a casarse con la princesa.

Los grados del adjetivo

- Contesta:

  a. ¿Cuál es la función de las palabras destacadas en la tirilla?

  b. ¿Qué palabras acompañan?

Los grados del adjetivo	
Definición	*Ejemplos:*
Grado positivo: expresa una cualidad sin indicar su intensidad.	*¡Mi castillo es **grande**!*
Grado comparativo: expresa una cualidad comparada con la misma cualidad poseída por otro sujeto.	**Inferioridad:** *Tu castillo es **menos elegante que** el mío.* **Igualdad:** *Tu jardín es **tan florido como** el mío.* **Superioridad:** *Mi castillo es **más grande que** el tuyo.*
Grado superlativo: expresa una cualidad en su grado máximo.	*Mi castillo es **muy elegante**.*

Los adjetivos expresan cualidades, las cuales pueden tener mayor o menor intensidad. Es decir, mayor o menor grado.

Las frases adjetivas y el epíteto

Verdes esmeraldas, rojos rubíes, blancas perlas.
¿Ya sabes qué le vas a regalar
a esa persona especial?

Joyería Grillo

"La casa **de los diamantes**"

Ofreciendo joyas **con elegancia** desde 1878.

#111 Calle San Francisco, Viejo San Juan

● Contesta:

a. ¿Para qué se usan las palabras destacadas en el anuncio?

b. ¿Crees que el anuncio causaría el mismo impacto si las palabras destacadas fueran otras? ¿Por qué?

Las **frases adjetivas** se usan para describir un sustantivo. Se componen de dos palabras o más, de las cuales una es un sustantivo.

*Ejemplos: La casa **de los diamantes**.*

*Ofreciendo joyas **con elegancia** desde 1878.*

El **epíteto** es un adjetivo que se utiliza para resaltar una cualidad que el sustantivo posee naturalmente. No añade una cualidad, sino que la acentúa.

*Ejemplos: **Verdes esmeraldas, rojos rubíes, blancas perlas.***

203

En mi libreta...

Los grados del adjetivo

● Identifica los adjetivos. Luego, clasifícalos según su grado.

- Mi computadora es menos moderna que la de ella.
- La charla estuvo entretenida.
- El bizcocho de limón es muy sabroso.
- La fiesta fue aburridísima.
- Ir al parque es tan divertido como ir a la playa.
- Esas montañas son más verdes que las otras.
- El perrito de Tita es juguetón.
- Mi traje es lo más colorido.

Las frases adjetivas y el epíteto

● Identifica si las palabras destacadas son una frase adjetiva o un epíteto.

- Me encanta el café **con azúcar**.
- Hay que consumir los productos **de Puerto Rico**.
- Las abejas producen **dulce miel**.
- Quiero tomar agua **con hielo**.
- La **redonda bola** cayó sobre el césped.
- La princesa se puso una corona **con diamantes**.
- El **caliente fuego** se propagó en el bosque.

> Las frases adjetivas y los epítetos nos ayudan a describir mejor lo que nos rodea.

Taller de Gramática

● Imagina la siguiente situación. Luego, escribe un párrafo en donde narres lo acontecido. Al describir, utiliza los adjetivos y sus grados (positivo, comparativo y superlativo), frases adjetivas y epítetos.

Han pasado veinte años desde los sucesos del cuento *Cuestión de suerte*, de este capítulo. Eres un reportero y estás haciendo un programa de televisión sobre qué sucedió en las vidas de ellos. Inventa qué fue de sus vidas (qué hacen, dónde trabajan, si tienen hijos, etc.).

Cuaderno págs. 72-75

El uso de la g y la j

> Estimado rey de España:
>
> Saludos para usted y su familia real. Quiero agradecerle el **gesto** de **generosidad** que tuvo conmigo y con mi esposa, la duquesa de Cardona. Además, lo pasamos muy bien conversando sobre **geografía**. Espero que disfruten los manjares y las **gemas** que les **trajimos** desde Cardona.
>
> Ya estamos pensando en cómo lo podemos **homenajear** junto a su familia en un gran banquete. Tan pronto sepa la fecha, me voy a **dirigir** a usted por escrito para avisarle cuándo pueden visitarnos. Estoy seguro de que mi familia los va a **acoger** con mucho gusto.
>
> Sinceramente,
> El duque de Cardona

EN MI LIBRETA...

● Escribe *g* o *j*, según corresponda. Luego, escribe una oración con cada palabra.

- can_ear
- indí_ena
- sur_ir
- _eometría
- _esta
- bara_ear

- tradu_imos
- corre_ir
- ima_en
- reco_er
- _emelos
- te_er

● Contesta:

- Al pronunciar las palabras destacadas, ¿encuentras alguna similitud?

AHORA SÉ QUE...

Se escriben con **g**:

✓ las palabras que comienzan por *geo-*, *gest-* o *gem-* y las que contienen la sílaba *gen-* (excepto, ejemplo, *jengibre*).

Ejemplos: *geo*grafía, *ges*to, *gem*as

✓ los verbos terminados en *-ger*, *-gir* (excepto, ejemplos, *tejer* y *crujir*).

Ejemplos: aco*ger*, diri*gir*

Se escriben con **j**:

✓ los verbos cuyo infinitivo termina en *-jear* y las formas verbales que llevan el sonido *j*, pero que no tienen *j* ni *g* en su infinitivo.

Ejemplo: traer → tra*jimos*

SE ESCRIBE ASÍ...

Ya aprendiste que se escriben con *g* todas las palabras que comienzan con *-geo*. Este es un prefijo de raíz griega que significa "tierra".

*geo*desia

La geodesia es la ciencia matemática que estudia la forma y magnitud de la Tierra.

● Busca en el diccionario cinco palabras que comiencen con *-geo* e investiga sus significados.

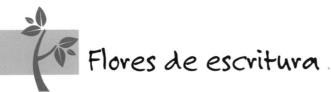

Flores de escritura

Roban joyas de la princesa

Por Víctor Cosme Vives

El Diario Madrileño

MADRID, España – Un cofre que contenía las joyas de la princesa Victoria de Borbón fue hurtado del Palacio Real, en la madrugada de ayer. Los ladrones, cuya identidad aún se desconoce, burlaron la seguridad del palacio.

"Me siento devastada. Esas joyas tienen un valor sentimental para mí, ya que mi difunta abuela me las dejó como herencia", dijo la princesa en declaraciones exclusivas a este diario.

Por otra parte, su padre, el rey Alfonso de Borbón expresó: "Se moverán cielo y tierra para encontrar las joyas de mi amada hija. Es por eso que le ofrezco la mano de la princesa al que encuentre las joyas." El monarca añadió que los interesados en hallarlas, deberán presentarse en el Palacio Real. Además, aseguró que si no lo hacen en tres días o menos, serán "severamente castigados".

Entre los contenidos del cofre, se hallaban collares de perlas, sortijas de rubíes y de esmeraldas, gargantillas de diamantes, entre otros.

Una **noticia** es el relato de un hecho que ha ocurrido recientemente. Su propósito es el de informar un acontecimiento o hecho novedoso de interés colectivo. En la noticia, son importantes la claridad y la precisión al informar los hechos.

En el primer párrafo de la noticia aparece la información más importante, la cual, a su vez, la resume. Esa información contesta las siguientes preguntas:

- ¿Qué ocurrió?
- ¿A quién le ocurrió?
- ¿Cuándo ocurrió?
- ¿Dónde ocurrió?
- ¿Por qué ocurrió?
- ¿Cómo sucedió?

La ampliación de la información y los detalles adicionales se encuentran en el resto de la noticia.

Ahora, lo hago yo

Me organizo

● Escribe una noticia basada en un hecho de alguna de las lecturas de los capítulos anteriores. Sigue estos pasos:

1 Selecciona un evento.

2 Anota qué ocurrió, a quién le ocurrió, cuándo, dónde, por qué y cómo ocurrió.

3 Haz anotaciones sobre otros detalles relacionados con el hecho.

Lo escribo

● Redacta el borrador de tu noticia; ten en cuenta lo siguiente:

✓ Escribe un titular breve que recoja el contenido de la noticia y que atrape el interés de los lectores.

✓ Redacta el primer párrafo con la información principal del hecho.

✓ Escribe un segundo párrafo con la información que narre cómo sucedieron los hechos. En el tercer o cuarto párrafo, puedes añadir detalles de menor importancia.

Me corrijo

● Lee cuidadosamente tu noticia y determina si cumpliste con los siguientes criterios:

✓ ¿Capta la atención tu titular?

✓ ¿Incluiste información sobre cuándo, dónde y cómo ocurrieron los hechos?

✓ ¿Mencionaste quiénes participaron y qué hicieron?

Espacio de tertulia

Presento mi noticia

¡Buenos días! Soy Helena Garay Mendoza. Un cofre que contenía las joyas de la princesa Victoria de Borbón fue hurtado del Palacio Real en la madrugada de ayer…

Preparación

1 Lee en voz alta tu noticia varias veces. Hazlo con seriedad, pausadamente y pronunciando bien cada palabra.

2 Practica frente algún familiar la lectura de tu noticia. Luego, pídele su opinión sobre cómo lo hiciste y en qué puedes mejorar.

3 En una cartulina blanca, haz un dibujo que represente la noticia.

Presentación

● Lee e informa tu noticia frente a tus compañeros. Haz lo siguiente:

✓ Presenta el titular. Luego, saluda al público (*buenos días, buenas tardes*) y di tu nombre y tus dos apellidos.

✓ Lee tu noticia pausadamente. Mantén un tono de seriedad.

Autoevaluación

✓ ¿Saludé al público? ❏ Lo hice bien. ❏ Puedo mejorar.

✓ ¿Leí pausadamente mi texto? ❏ Lo hice bien. ❏ Puedo mejorar.

✓ ¿Mantuve un tono de seriedad? ❏ Lo hice bien. ❏ Puedo mejorar.

✓ ¿Representó mi noticia el dibujo que hice? ❏ Lo hice bien. ❏ Puedo mejorar.

✓ ¿Capté la atención del público? ❏ Lo hice bien. ❏ Puedo mejorar.

La música en la Edad Media

La Edad Media comienza con la caída del Imperio romano en el año 476 y finaliza hacia mediados del siglo XV. En este periodo surgió la música medieval, la cual comprende toda la música europea compuesta durante esa época (siglo V al siglo XV). Su tendencia es hacia armonías, ritmos y textos complejos. Entre los instrumentos utilizados durante ese movimiento musical se encuentran la corneta (parecida a la trompeta), el acordeón, las castañuelas y el laúd.

Dentro de la música medieval también se encuentran los cantos gregorianos, nombre que se le da a la música religiosa de los cristianos.

1 Identifica los adjetivos en las siguientes oraciones. Luego, clasifícalos según su grado (positivo, comparativo o superlativo).

• La música medieval es muy melodiosa.

• Ese laúd está tan afinado como el mío.

• Los cantos gregorianos que escuchamos ayer estuvieron maravillosos.

2 Identifica las frases adjetivas en las siguientes oraciones:

• Él toca el violín con gentileza.

• Tengo tantas castañuelas que mis amigos dicen que vivo en la "casa de las castañuelas".

• Disfruto con alegría de la música medieval.

3 Según la información que leíste, compara la música medieval con la música que se escucha en la actualidad. Explica con ejemplos.

¡A pensar!

La orfebrería

La orfebrería es el arte realizado sobre utensilios, vasijas, adornos, joyas, monedas y estatuas con metales preciosos como el oro y la plata.

Este arte se remonta a la Prehistoria, pues se han encontrado hallazgos que evidencian el uso de estos metales en piezas sencillas.

En la Edad Media se manifiesta en diferentes ornamentaciones como diademas lisas, brazaletes, collares rígidos, escudos, armas y estatuas.

Actualmente, las técnicas utilizadas en este arte se clasifican en dos tipos: técnicas de fabricación y técnicas decorativas.

APLICAR

● Examina y discute los siguientes datos sobre la orfebrería:

- El arte de la orfebrería solamente se trabaja en joyas.
- Tuvo sus orígenes en la Edad Moderna.
- Solo se ha manifestado en estatuas y en armas.
- La plata es el único metal precioso utilizado en la orfebrería.
- En la actualidad, no se utiliza técnica alguna para trabajarla.
- Se trabaja en materiales plásticos.

ANALIZAR

● Identifica qué metal precioso se utiliza en cada pieza.

SINTETIZAR

● Imagina que eres un orfebre. Un rey y una reina te piden que hagas una nueva corona para cada uno. Diseña en un papel en blanco la corona del rey. En otro papel, diseña la corona de la reina. Luego, indica con qué materiales las confeccionarías.

Mi ambiente

El oro es un metal que se extrae de las minas. Se encuentra, normalmente, en estado puro y en forma de pepitas. Es blando, brillante, amarillo, pesado y maleable. Además de la joyería, se utiliza en la industria y en la electrónica. Actualmente, hay comunidades que luchan contra compañías mineras, ya que, para extraer el oro, utilizan métodos que son tóxicos y contaminantes para el medio ambiente.

211

Sé que aprendí

1 Completa el párrafo con los siguientes homófonos:

> ola   meces   siento   hola   ciento   meses

Ayer fui al centro comercial con mis abuelos. Primero, fuimos a la juguetería. Allí me encontré a Sarita. Cuando me vio, me dijo "¡_____, Cheito!". ¡Hace _____ que no la veía! También, me dijo que antes de ayer fue a la playa y vio una _____ bien grande. Estuvimos allí un rato mirando los juguetes. Luego, nos despedimos porque ella se tenía que ir. Yo me fui con mis abuelitos a la mueblería. Mi abuela se sentó en un sillón para probarlo, y dijo: "¡Ah, qué cómodo es este sillón! Cheito, ¿qué tal si te _____ en él? ¡A lo mejor te gusta!". Le hice caso y me mecí, pero no lo sentí nada cómodo. ¡Mi abuela no podía creerlo! De todas maneras, mi abuelo decidió regalárselo. Cuando le preguntó el precio al vendedor, le dijo que el sillón costaba _____ doce dólares. Entonces, mi abuelo le dijo: "¡Ya _____ que mi bolsillo está vacío!".

2 Lee las frases que están dentro de la corona y forma oraciones con ellas. Luego, subraya los adjetivos e identifica si pertenecen al grado positivo, comparativo o superlativo.

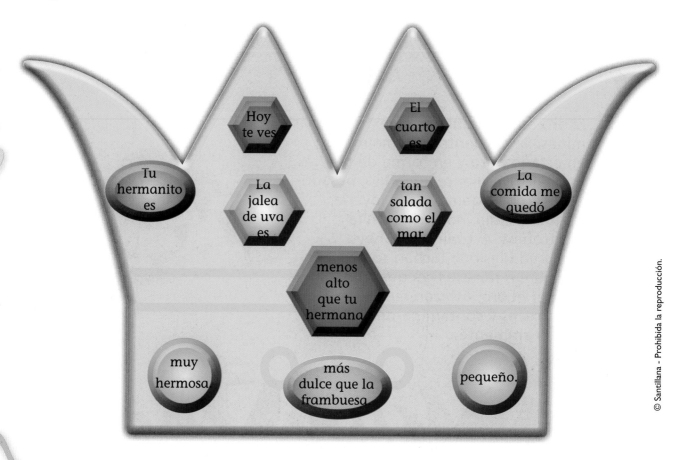

212

3 Lee la siguiente tirilla. Luego, identifica los adjetivos y cámbialos a frases adjetivas.

¡Qué bien se siente la brisa otoñal!

¡Es cierto! ¡Y más aún con esta noche estrellada!

4 Completa el siguiente organizador gráfico sobre el uso de la *g* y la *j*:

Se escriben con *g*:

Se escriben con *j*:

ejemplo   *ejemplo*   *ejemplo*   *ejemplo*   *ejemplo*

DIARIO REFLEXIVO

● Contesta:

a. ¿Se te hizo difícil diferenciar entre los homógrafos y los homófonos? Explica.

b. ¿Crees que los grados del adjetivo se usen con frecuencia al hablar en nuestra vida cotidiana? ¿Por qué?

c. ¿Tienes dificultad al escribir palabras con *g* y con *j*? Explica.

d. ¿Cuál es la importancia de la noticia en nuestro diario vivir?

10 Mi isla musical

¡Vamos a hablar!

- ¿En qué ciudad y en qué país se encuentran los animales? ¿Cómo lo sabes?

- ¿Qué tipo de música crees que estén interpretando los animales? ¿Por qué?

- ¿Sabes lo que es una décima? ¿Alguna vez has escuchado o cantado una?

En este capítulo...

✓ conocerás el significado de las palabras onomatopéyicas.

✓ reconocerás e identificarás los pronombres interrogativos y los pronombres exclamativos.

✓ escribirás correctamente las palabras con la *c*, la *s* y la *z*.

✓ reconocerás las características y el formato de la carta personal y del correo electrónico.

✓ redactarás una carta electrónica.

✓ presentarás oralmente tu carta electrónica.

Ventana al verde

● Reflexiona:

Durante la década de 1950, los puertorriqueños que emigraron a Hawái se llevaron varios coquíes. Estos han sido rechazados por parte de la población hawaiana.

- ¿Es peligroso sacar a un animal de su hábitat? Explica.

Agapito, el coquí trovador

El cartero llegó temprano, como todos los días, y, con él, la invitación a las Fiestas Verdes de Navidad. En ellas, se celebraría un concurso de trovadores. Esto alegró a doña Carmelita. Sabía que a Agapito le gustaba cantar.

—¡Levántate, Agapito! —le dijo doña Carmelita a su hijo.

—Ya voy, Mamá, ya voy —contestó Agapito, mientras se levantaba de su cama de hojas. Luego, se dirigió a la cocina. Allí se encontraba su madre, quien sujetaba una invitación.

—Llegó una invitación para las Fiestas Verdes. ¡Este año habrá un concurso de trovadores!

—¡Un concurso de trovadores! ¿Quiénes pueden participar?

—Todo el que quiera, hijo, —le respondió su mamá—. Pensé que deberías participar. Estoy segura de que podrías ganar.

—¿En serio, Mami? —preguntó un poco avergonzado el pequeño coquí.

—Claro, cantas muy bonito —le dijo con dulzura doña Carmelita.

Esa mañana, Agapito estuvo muy contento. Se imaginaba cantándole a una multitud que le aplaudía. Todo el día estuvo **tarareando**.

• **tarareando, de *tararear*:** cantar la melodía de una canción sin pronunciar las palabras.

Al día siguiente, fue a las oficinas del Consejo de la Fauna Boricua a inscribirse para la competencia. Allí vio al gallo Yuyín; a Pancho, el sapo concho; y a Lolita, la ruiseñor. Todos habían ido a inscribirse.

—¿Qué haces aquí, Agapito? —preguntó el gallo Yuyín.

—Vine a inscribirme en el concurso de trovadores —contestó con emoción Agapito.

—¿Tú? ¡Ja ja! ¡No me hagas reír! —dijo a carcajadas Pancho, el sapo concho.

—¿Por qué dices eso? —preguntó Agapito con tristeza.

—Eres muy pequeño —dijo con pena Lolita, la ruiseñor—. Tu canto apenas va a escucharse.

—Además, seguramente no sabes lo que es una décima —añadió Yuyín.

—Las décimas son muy importantes para nuestra música puertorriqueña —dijo Lolita—. Si piensas hacerlo, debes hacerlo bien.

De camino a su casa, Agapito iba pensando en lo que dijo Lolita. Aunque se sentía un poco triste por lo que le dijeron los demás, decidió que competiría. Por eso, se propuso estudiar todos los días.

—Papá, necesito que me ayudes —pidió Agapito.

—¿Qué necesitas, Agapito? —preguntó su padre, don Mario.

—Por favor, necesito que me enseñes todo lo que sepas sobre la décima puertorriqueña.

—¡Ah! Ya me dijo tu madre que piensas competir en las Fiestas Verdes de Navidad —le dijo con **alborozo** don Mario.

—Sí. Algunos me dijeron que no puedo —dijo Agapito —. Pero yo quiero cantar, y quiero hacerlo bien.

—¡Muy bien! La décima es un símbolo de nuestra identidad, y hay que cantarla con respeto. Verás que con mucha práctica podrás ganar.

• **alborozo:** alegría.

—Ganar sería muy bonito, pero yo lo que quiero es cantar bien, aunque no gane.

—Pues lo primero que debes saber es que una décima tiene diez versos —dijo el papá, sintiéndose todo un maestro trovador.

—¿Qué más, Papá, que más? —preguntaba Agapito, saltando de un lado a otro.

—No te desesperes —dijo don Mario entre risas—. Bueno, cada verso debe tener ocho sílabas. Pero, ¿sabes qué es lo más importante en una buena décima?

—¡Dime, Papá, dime! —suplicó Agapito.

—La rima —dijo don Mario—. La rima es muy importante.

Agapito y su papá hablaron y aprendieron sobre la décima puertorriqueña por varios días. Todas las noches, Agapito cantaba con él. A doña Carmelita le gustaba escucharlos. La llenaba de alegría y nostalgia escuchar las canciones que su abuelito le cantaba cuando era pequeña.

Después de tanto ensayar, las Fiestas Verdes de Navidad, por fin, llegaron. Agapito estaba muy nervioso. El gran jardín en donde se llevarían a cabo las festividades estaba **atestado**. Había llegado gente de toda la Isla.

—¡Así que decidiste competir! —dijo Pancho, el sapo concho—. Pensé que te habías arrepentido.

—No tenía por qué arrepentirme —respondió Agapito muy seguro—. Cantaré…Y cantaré bien.

—Déjalo tranquilo, es un niño. Ya veremos quién canta mejor —dijo el gallo Yuyín.

• **atestado:** lleno, repleto.

218

La competencia comenzó. Lolita, la ruiseñor, tuvo el primer turno. Tan pronto la ruiseñor empezó a cantar, todo el mundo hizo silencio. Hasta Yuyín y Pancho se quedaron mudos por la belleza de su voz cuando cantó esta décima:

En esta noche, señores,

aquí yo vengo a cantar,

y con mi canto enseñar,

a todos competidores,

que no tengamos temores.

Es tiempo de felicidad,

porque ya llegó Navidad,

y yo invito a que cantemos,

y a que juntos celebremos,

unidos en fraternidad.

Mientras Lolita cantaba, Agapito pensaba en los versos y en las rimas. Cada vez se ponía más nervioso.

Uno a uno, los concursantes cantaron para el público. La multitud no paraba de aplaudir. Todo el mundo bailaba y disfrutaba de la música campesina.

Luego, llegó el turno de Yuyín. Su voz era fuerte, como su cantar en todas las madrugadas. Sus décimas expresaron el orgullo que sentía de levantar todos los días a su gente.

Agapito estaba emocionado. ¡Todos cantaban tan bien! Las décimas eran bonitas y la gente estaba contenta.

—¡Qué bonito cantó Lolita! —le dijo con emoción a Pancho—. ¡Y qué voz tan fuerte tiene Yuyín!

—Y eso, ¡que no me has oído cantar! —dijo con un poco de envidia el sapo—. Yo ganaré la competencia.

—Estoy seguro de que tú también harás buenas décimas —dijo un tímido Agapito.

—¡Claro! Tú deberías irte a tu casa —le contestó Pancho—. Obviamente, no ganarás.

—No vine a ganar, vine a cantar décimas —dijo con firmeza Agapito.

Pancho estaba tan **enfrascado** en la conversación con Agapito, que no se dio cuenta de que ya era su turno. Al salir a toda prisa al escenario, el sapo vio cuánta gente esperaba por oír su canto y se puso muy nervioso. La música sonaba y sonaba, pero no empezaba a cantar. Todo el mundo se miraba sorprendido.

Pancho no sabía qué hacer. Las palabras no salían de su boca. En medio de la desesperación, miró a Agapito.

Sin pensarlo dos veces, el pequeño coquí salió al escenario, se paró junto a Pancho y empezó a cantar:

> Mi amigo está emocionado,
>
> es la emoción de cantar,
>
> y entre versos exaltar,
>
> con su ser apasionado,
>
> la décima que ha olvidado.
>
> Y hoy yo canto por él,
>
> y vengo a nuestro vergel,
>
> a pedir lo que aquí muestro,
>
> que no olvidemos lo nuestro,
>
> y a nuestra música ser fiel.

Mientras Agapito cantaba, Pancho estuvo todo el tiempo a su lado. La gente los miraba con sonrisas de aprobación.

- **enfrascado:** que se aplica con gran intensidad a una disputa o actividad, y que por lo cual no presta atención a otras cosas.

Agapito cantó con todo su corazón. Al terminar, el público aplaudió y gritó. Todos quedaron impresionados con la voz del pequeño coquí y con la noble actitud que tuvo al ayudar a Pancho.

—Gracias, Agapito —dijo el sapo Pancho—. No merecía tu ayuda.

—Todos merecemos ayuda —dijo con una gran sonrisa Agapito —. La música es para todos.

—¡Me sorprendiste! —le contestó Pancho—. Cantaste muy bien, y dijiste justo lo que yo pensaba.

—Es que todos estamos muy orgullosos de cantar nuestra música —le dijo Agapito.

El público esperaba con **avidez** los resultados del concurso. Pronto sabrían quién sería el Trovador del Año. Minutos después, a la tarima se acercó Cándida Cotorrales, presidenta del Consejo de Fauna Boricua. Se dirigió al público y dijo lo siguiente:

—Señoras y señores, ¡ya tenemos un ganador! Por su linda voz, sus versos elegantes y por ser un buen competidor, ¡hoy anunciamos que la Copa Verde al Trovador del Año es para Agapito del Monte Saltarín!

Cuando Agapito recogió su copa, la presidenta del Consejo le dijo:

—Gracias, pequeño, por recordarnos que debemos valorar, respetar y amar nuestra música y nuestras tradiciones.

Al escuchar esas palabras, Agapito sonrío lleno de orgullo.

Jessenia Pagán Marrero
(puertorriqueña)

Pepa es una coquí muy curiosa. Por suerte, su abuela siempre está dispuesta a contarle un buen cuento y, en este relato, nos enteramos de lo que pasó en el coro de coquíes del cañaveral, cuando su tatarabuelo se fue de viaje a Nueva York. Los lectores ampliarán su conocimiento sobre los coquíes, en un libro que une la literatura con la información.

• **avidez:** ansia.

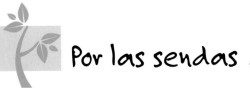

Por las sendas

Me informo

● Completa la siguiente ficha de lectura:

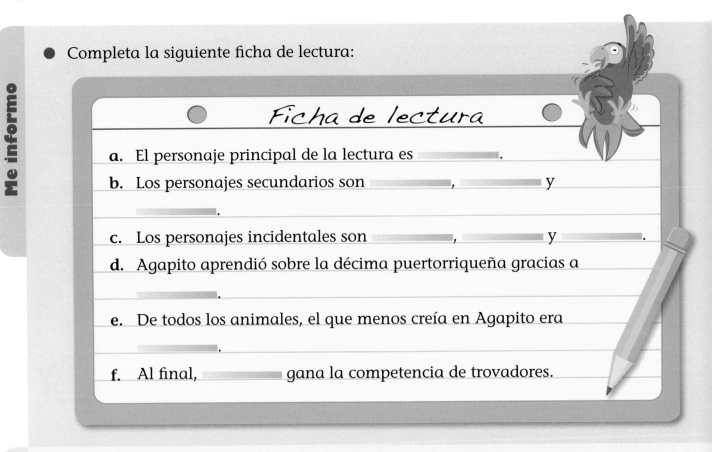

Ficha de lectura

a. El personaje principal de la lectura es _____.

b. Los personajes secundarios son _____, _____ y _____.

c. Los personajes incidentales son _____, _____ y _____.

d. Agapito aprendió sobre la décima puertorriqueña gracias a _____.

e. De todos los animales, el que menos creía en Agapito era _____.

f. Al final, _____ gana la competencia de trovadores.

Interpreto

● Completa el organizador gráfico con la información que se pide sobre la lectura. Sé breve y preciso en tus respuestas, y ofrece detalles importantes.

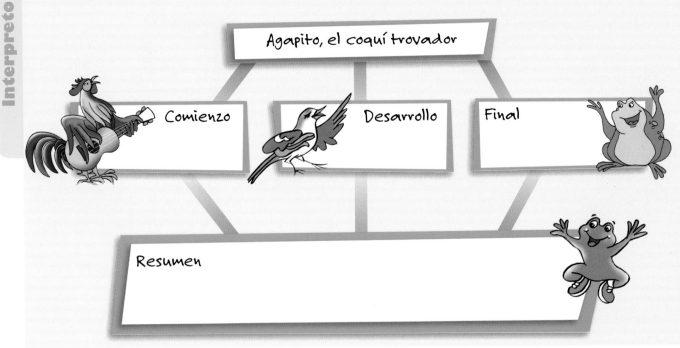

Agapito, el coquí trovador

Comienzo

Desarrollo

Final

Resumen

Examino

- ✓ ¿Por qué Yuyín, Lolita y Pancho dudaban de que Agapito pudiera competir? Explica.

- ✓ ¿Cuál era la motivación de Agapito para participar en la competencia de trovadores, a pesar de que algunos no creyeran en él?

- ✓ ¿Por qué crees que Pancho no pudo cantar? Explica.

EVALÚO Y CUESTIONO

- ☑ ¿Cómo calificas la actitud de Yuyín, Lolita y Pancho hacia Agapito? ¿Por qué?

- ☑ ¿Crees que Agapito habría ganado el concurso de trovadores si no hubiera estudiado y aprendido sobre la décima? Explica.

- ☑ Si fueras Agapito, ¿ayudarías a Pancho? ¿Por qué?

DOY LO MEJOR DE MÍ

A Sandra le apasiona la música. Le gusta tocar instrumentos y cantar. Ella quiere participar en la audición de una competencia de talentos que habrá en su escuela. Sin embargo, hay un grupo de niñas que dudan de sus capacidades artísticas, ya que Sandra tiene un impedimento físico. Ellas piensan que, al no poder caminar, no podrá competir.

- ● Contesta:
  - • ¿Qué opinas de la forma de pensar de las compañeras de Sandra? ¿Tienen razón? Explica.

Con dedicación y empeño, no hay nada ni nadie que limite mis sueños.

Las palabras onomatopéyicas

Amigo, tus **aullidos** me despiertan por la noche.

Pues, ¡tus **maullidos** me tienen loco!

● Contesta:

a. ¿Qué tipo de sonidos identifican las palabras destacadas?

b. ¿Quiénes emiten esos sonidos?

c. ¿Haz escuchado palabras parecidas a esas? ¿Cuáles?

Hay onomatopeyas que se usan para varios animales. Por ejemplo, los perros, además de ladrar, aúllan al igual que los lobos y los coyotes.

Las **onomatopeyas** son las palabras que imitan o recrean el sonido de un animal, una cosa o una acción nombrada.

Ejemplos:

Sonidos de animales:

✓ lobo ➡ auuu   ✓ gato ➡ miau

✓ abeja ➡ bzzz, bzzz   ✓ oveja ➡ bee

✓ perro ➡ guau   ✓ rana ➡ croc

✓ gallo ➡ quiquiriquí   ✓ vaca ➡ muuu

Sonidos de objetos:

✓ timbre o choque entre copas u otros objetos parecidos ➡ tintín

✓ reloj ➡ tictac

✓ campana ➡ tilín tilán

✓ campanilla ➡ tilín

La onomatopeya también se utiliza para enriquecer acciones. Por ejemplo, se puede usar para describir el acto de caminar si es con pasos fuertes o ligeros, pasos acelerados o arrastrando los pies.

Ejemplos:

✓ pasos fuertes ➡ tap, top

✓ pasos suaves ➡ tip, tap

✓ pasos arrastrados ➡ rasch, rasch

Las **palabras onomatopéyicas** son las que representan los sonidos que producen los animales, objetos y acciones.

A diferencia de las onomatopeyas, las palabras onomatopéyicas hacen las representaciones de los sonidos en forma de verbos, adjetivos y sustantivos. Sin embargo, estos vocablos reciben un nombre similar al del sonido emitido.

Ejemplos:

✓ *aullido* ➜ *Amigo, tus* aullidos *me despiertan por la noche.*

✓ *maullido* ➜ *Pues, ¡tus* maullidos *me tienen loco!*

✓ *tintineo* ➜ *A Jacinta le gustaba escuchar el* tintineo *de las copas.*

✓ *zumbido* ➜ *El* zumbido *de las moscas y abejas abundaba en el patio.*

✓ *tictac* ➜ *El* tictac *del reloj puso nervioso a Pancho.*

✓ *borboteo* ➜ *Me acerqué a la estufa cuando escuché el* borboteo *del agua.*

✓ *trino* ➜ *Las aves* trinaban *al volar sobre la ciudad.*

EN MI LIBRETA...

● Selecciona la palabra onomatopéyica que le corresponde a cada oración.

• La rana (croaba / maullaba) con fuerza.

• La oveja de Tato (borbotea / bala) sin parar.

• El (tintineo / trino) de las campanas nos despertó a medianoche.

• Al final del cuento, los coyotes (zumban / aúllan) hasta la puesta del sol.

• Cada vez que le doy comida a mi vaquita, ella (ronronea / muge).

SE DICE ASÍ...

● Selecciona cuál de los siguientes sonidos onomatopéyicos les corresponde a los pollitos en el idioma español:

a. piou-piou

b. peep peep

c. pío pío

Los pronombres interrogativos

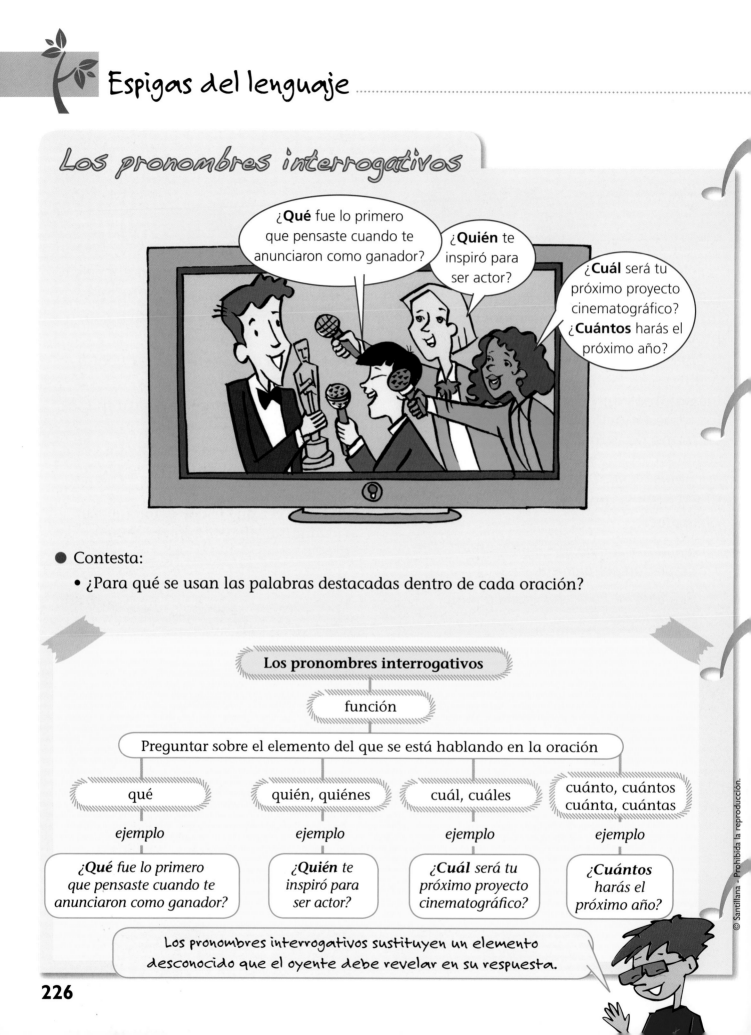

- Contesta:
  - ¿Para qué se usan las palabras destacadas dentro de cada oración?

Los pronombres interrogativos

función

Preguntar sobre el elemento del que se está hablando en la oración

qué	quién, quiénes	cuál, cuáles	cuánto, cuántos cuánta, cuántas
ejemplo	*ejemplo*	*ejemplo*	*ejemplo*
¿Qué fue lo primero que pensaste cuando te anunciaron como ganador?	**¿Quién** te inspiró para ser actor?	**¿Cuál** será tu próximo proyecto cinematográfico?	**¿Cuántos** harás el próximo año?

Los pronombres interrogativos sustituyen un elemento desconocido que el oyente debe revelar en su respuesta.

Los pronombres exclamativos

● Contesta:

a. ¿Qué tipo de oraciones son las que están en los diálogos de la tirilla?

b. ¿Qué función tienen las palabras destacadas?

Los pronombres exclamativos		
Pronombres	**Función**	**Ejemplos**
qué	Implica al sujeto o a un objeto.	*¡Qué bueno que ganaste, Agapito!*
quién	Implica al sujeto.	*¡Quién diría que no fueras a ganar!*
cuánto	Implica una cantidad.	*¡Cuánto esperé por este momento!*
cuál	Implica un sentimiento.	*¡Cuál fuera mi sorpresa!*

Los pronombres exclamativos expresan admiración, sorpresa, asombro y dolor.

227

En mi libreta...

Los pronombres interrogativos y exclamativos

● Identifica los pronombres. Luego, clasifícalos como interrogativos o exclamativos.

- ¿Cuántas compraste ayer?
- ¡Cuánto lamento tu situación!
- ¿Qué hiciste en el fin de semana?
- ¡Quién diría que me pegaría en la lotería!
- ¡Qué hermoso es Puerto Rico!
- ¿Cuántos irán a la gira?
- ¿Cuál será la fecha de la actividad?

- ¡Quién tuviera la dicha de tener tu amor!
- ¿Quiénes fueron al concierto?
- ¿Qué vas a cocinar para el banquete?
- ¿Cuál me recomiendas?
- ¡Qué emotiva!
- ¡Cuál sería mi alegría si te mejoraras!
- ¿Cuáles son los que hay que leer para la clase?

> Los pronombres interrogativos y exclamativos siempre se acentúan.

Taller de Gramática

● Únete a un compañero o a una compañera para escribir una breve entrevista al personaje Agapito de la lectura "Agapito, el coquí trovador". Sigan estos pasos:

- Decidan quién será el entrevistador y quién será el entrevistado.
- Utilizando pronombres interrogativos, el entrevistador redactará las preguntas. Estas deben ser sobre lo que sucedió.
- El entrevistador le dará las preguntas al entrevistado. Este último, utilizando pronombres exclamativos, escribirá sus contestaciones.
- El entrevistador pasará en limpio las preguntas y respuestas para luego presentar la entrevista a la clase.

Cuaderno págs. 80-83

Espigas y palabras

El uso de la c, la s y la z

Producciones Isla Musical

Invita a todos los **ciudadanos** al **grandioso** y **masivo** concierto "**Paz** para Borinquen", que se celebrará el sábado, 3 de diciembre de 2009, desde las 4:00 p.m., en el Castillo San Felipe del Morro, en el Viejo San Juan.

Se interpretarán las más **hermosas** melodías jíbaras.

¡Contamos con su **presencia**!

● Contesta:

- ¿Crees que las palabras destacadas en la invitación hacen buen uso de las letras c, s y z? ¿Cómo lo sabes?

AHORA SÉ QUE...

Se escriben con c las palabras que:

✓ terminan en -cida, -ancia y -encia (excepto, por ejemplo, ansia y Hortensia) y las que contienen la sílaba -cio, -ciu.

Ejemplos: presencia, ciudadanos

Se escriben con s:

✓ los adjetivos terminados en -oso y -osa y las palabras terminadas en -so, -sor, -sorio y -sivo.

Ejemplos: grandioso, masivo

Se escriben con z:

✓ los adjetivos y sustantivos terminados en -az y -oz.

Ejemplos: paz, feroz

EN MI LIBRETA...

● Escribe c, s o z, según corresponda. Luego, escribe una oración con cada palabra.

- compul_orio
- espe_or
- antifa_
- jue_
- acce_orio
- horroro_o

- precio_a
- emergen_ia
- _iudad
- televi_or
- capa_
- arro_

SE ESCRIBE ASÍ...

Al escribir el plural de una palabra, usamos -s y -es.

flor → flores
libro → libros

Sin embargo, al escribir el plural de las palabras que terminan con z, la cambiamos por la terminación -ces.

feliz → felices
pez → peces

● Escribe cinco palabras que terminen con z y sus respectivos plurales.

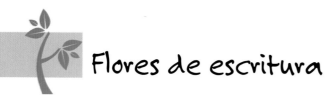

Carta a mi tía Daniela

17 de diciembre de 2010

Querida Titi Daniela:

¡Feliz Navidad! ¿Cómo estás? ¡Espero que bien! Quería enviarte un correo electrónico, pero Mami me dijo que se te dañó la computadora.

Te escribo para contarte cómo me fue en la competencia de trovadores de las Fiestas Verdes de Navidad. Sé que Mami te dijo que gané, pero quiero contarte otras cosas que pasaron.

Cuando me fui a inscribir al concurso, algunos no creyeron en mí. ¡Hasta me dijeron que no compitiera! Yo no les hice caso. Para mí, lo importante era cantar y no, ganar.

Como no conocía mucho sobre la décima puertorriqueña, le pregunté a Papi todo sobre ella. ¡Aprendí mucho! Todas las noches cantábamos décimas. Aunque ya todo pasó, mantenemos la tradición de cantar. ¡Mami se pone bien contenta al escucharnos!

El día de la competencia, estaba un poquito nervioso. Sin embargo, Pancho, el sapo concho, lo estaba más que yo. Él era uno de los que no creía en mí. Aún así, cuando no pudo cantar por sentirse nervioso, lo ayudé. Y es que todos, aunque nos lastimen, merecen una oportunidad. ¿Qué tú crees, Tía?

Espero que me escribas pronto. Aquí te dejo mi nueva dirección electrónica, por si te arreglan la computadora: agapito5@correoverde. com.

¡Te quiero mucho!

Tu sobrino,
Agapito

La **carta personal** nos permite contar a nuestros familiares y amigos lo que nos sucede al estar lejos de ellos. Además de ofrecer información, es común expresar sentimientos en ella.

Debe incluir fecha, saludo, cuerpo o contenido, despedida y la firma del remitente, es decir, la persona que escribe la carta.

La carta personal puede enviarse a través del servicio postal o del correo electrónico. Cuando se envía por este último, se la llama **carta electrónica**. Esta tiene un formato similar a la de la personal, pero sin la fecha. Para poder enviar o recibir cartas electrónicas, es necesario tener una computadora con acceso a Internet y una dirección de correo electrónico (ejemplo: agapito5@correoverde.com). Esta se compone de los siguientes elementos:

• el nombre del usuario ➡ agapito5,

• el signo de arroba para separar al nombre del servidor ➡ @,

• la identificación del servidor ➡ correoverde

• la extensión que indica que el servidor es una organización o una empresa comercial o educativa ➡ .com.

Ahora, lo hago yo

Me organizo

● Imagina que eres la tía de Agapito. Escríbele una carta electrónica contestándole. Sigue estos pasos:

1 Haz una lista de las cosas que quieres contarle y contestarle.

2 Inventa la dirección de correo electrónico de la tía.

3 Escribe el asunto, que comunique de qué trata la carta.

Lo escribo

● Redacta el borrador de tu carta electrónica. Ten en cuenta lo siguiente:

✓ Escribe la dirección electrónica de Agapito y el asunto.

✓ Comienza con un saludo. Luego, explica en el primer párrafo el propósito de tu mensaje.

✓ Redacta dos o tres párrafos de contenido, en los que le contestes a Agapito.

✓ Escribe la despedida y la firma.

Me corrijo

● Lee tu carta electrónica. Determina si cumpliste con lo siguiente:

✓ ¿Incluiste la dirección de Agapito y el asunto?

✓ ¿Tiene un saludo y una despedida?

✓ ¿Es sobre el propósito de la carta el primer párrafo?

Espacio de tertulia

Presento mi carta electrónica

¡Mami! ¡Papi! ¡Titi Daniela me envió una carta electrónica! Se las voy a leer. "Querido sobrino…"

Querido sobrino:

Titi Daniela

Preparación

1 Lee, en voz alta, la carta electrónica que redactaste. Al leerla, expresa las emociones que quieres transmitir en ella.

2 En una cartulina blanca, dibuja cómo se vería tu carta electrónica en la pantalla de una computadora. Incluye todo el texto. Al escribirlo, hazlo en un tamaño de letra que se pueda leer desde lejos.

Presentación

● Léeles tu carta electrónica a tus compañeros. Haz lo siguiente:

✓ Pega tu dibujo en la pizarra.

✓ Lee el asunto y tu carta. Al hacerlo, toma en cuenta los signos de puntuación, al hacer pausas y expresar las emociones.

Autoevaluación

✓ ¿Mostré un dibujo de mi carta electrónica? ❏ Lo hice bien. ❏ Puedo mejorar.

✓ ¿Presenté el asunto de mi carta electrónica? ❏ Lo hice bien. ❏ Puedo mejorar.

✓ ¿Tomé en cuenta los signos de puntuación, para expresar emociones y hacer pausas? ❏ Lo hice bien. ❏ Puedo mejorar.

232

La décima puertorriqueña

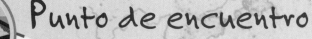

Uno de los géneros musicales que más representa al jíbaro es la décima puertorriqueña. Esta consiste en una estrofa, que tiene diez versos de ocho sílabas cada uno. La décima se caracteriza por sus rimas específicas y por el talento del artista de improvisar los versos. La rima siempre debe tener el mismo patrón: el primer verso debe rimar con el cuarto y el quinto; el segundo, con el tercero; el sexto, con el séptimo; y el décimo, y el octavo, con el noveno. Los versos se acompañan con instrumentos como el güiro, el cuatro, la guitarra y el seis.

1 Identifica si los pronombres son interrogativos o exclamativos en las siguientes oraciones:

- ¿Cuántos versos tiene la décima?
- ¡Qué bonita es la décima puertorriqueña!
- ¿Cuáles son los instrumentos que se usan para acompañar los versos?

2 Coloca la letra *c*, *s* o *z*, según corresponda.

- género_
- caracteri__a
- dé__ima
- improvi_ar
- _éptimo
- musicale_

3 La décima puertorriqueña se ha mantenido presente gracias a los trovadores. Sin embargo, al igual que otros géneros de música típica de nuestro país, casi no recibe difusión en la radio. ¿En qué forma esto afecta a la décima? ¿Crees que las nuevas generaciones podrían conocer nuestra música, a pesar de esto? Explica y propón soluciones para este problema.

¡A pensar!

El género musical de la salsa

La salsa es un género musical que consiste en una mezcla de influencias de la música puertorriqueña, africana y cubana, entre otras. Surgió alrededor de la década de 1970. Algunos de los géneros que influyen en la salsa son el mambo, la rumba, el son, el guaguancó y la guaracha.

Puerto Rico ha contribuido grandemente a difundir este género, y la mayoría de sus más grandes exponentes son puertorriqueños. Algunos son El Gran Combo de Puerto Rico, Héctor Lavoe, Willie Colón e Ismael Rivera.

Los instrumentos de percusión son muy importantes en la salsa. Se utilizan los timbales, la campana, los bongós y las congas.

CONOCER

● Escoge la alternativa correcta.

   a. La salsa tiene influencias musicales de los siguientes lugares:
   - el Japón, Colombia y Puerto Rico.
   - Puerto Rico, Cuba y África.
   - Cuba, la Argentina y Guatemala.

   b. La salsa tiene influencias del mambo, la rumba, el son, el guaguancó y:
   - el merengue.
   - la ópera.
   - la guaracha.

   c. En la salsa, son muy importantes los instrumentos de:
   - percusión.
   - viento.
   - cuerda.

234

ANALIZAR

● Identifica cuál de los siguientes instrumentos es de percusión.

EVALUAR

● Lee la siguiente situación. Luego, argumenta:

Enrique piensa que la salsa está pasada de moda porque es de la década de los 70. Sin embargo, su hermana Rosita la disfruta sin importarle de qué década sea. ¿De qué forma afecta a Enrique su manera de pensar? Explica.

Mi ambiente

Los timbales son el instrumento principal de la salsa. Es una batería que consiste de dos tambores y dos campanas. La materia prima utilizada para confeccionar los timbales son el metal y la madera. Estos materiales provienen del medio ambiente, lo cual demuestra que la naturaleza nos ofrece de todo, incluido los recursos para hacer música. Al utilizarlos con prudencia y con provecho, podremos disfrutar de muchas posibilidades musicales.

Sé que aprendí

1 Escoge dos palabras onomatopéyicas de las que aparecen en el recuadro. Luego, escribe una oración que incluya las dos y haz un dibujo basado en ella. Puedes cambiar su conjugación, si fuera necesario.

borboteo	aullido	tictac	tintineo	berrear

Ejemplo: *La niña se despertó con el mugido de la vaca y el zumbido de una abeja.*

2 Identifica las oraciones en las que se utilizan correctamente los pronombres interrogativos y los exclamativos. Luego, corrige las oraciones que sean incorrectas.

236

3 Identifica las palabras que estén mal escritas con *c, s* o *z*. Luego, escribe una oración con su forma correcta.

pesticida	sorpresivo
arros	maravilloso
emergensia	silenzio
sorpresivo	atroz

4 Lee el siguiente texto. Luego, contesta y argumenta:

En la actualidad, no solo podemos comunicarnos con nuestros seres queridos a través de cartas personales, sino también por medio de cartas electrónicas. ¿Cuál de las dos crees que sea la más efectiva? ¿Por qué? Toma en consideración sus ventajas y desventajas.

DiARio REFLEXiVO

● Contesta:

a. ¿Cuál es la importancia de las palabras onomatopéyicas en la comunicación?

b. ¿Tienes dificultad o confusión al diferenciar entre los pronombres interrogativos o los exclamativos? Explica.

c. ¿Crees que sean complicadas las reglas para escribir palabras con *c, s* y *z*? ¿Por qué?

d. ¿Prefieres escribir cartas personales o cartas electrónicas? Explica.

¡Vamos a hablar!

- ¿Qué hacen la mujer y el niño?
- ¿Cómo crees que se sientan ambos ante el trabajo que realizan?
- ¿Alguna vez no has sabido valorar el trabajo de alguien?

En este capítulo...

✓ entenderás el significado de las palabras mediante el uso de la clave de contexto.

✓ conocerás el número, la persona y el tiempo del verbo.

✓ aprenderás lo que son los verbos no personales.

✓ podrás escribir correctamente las palabras con la *r* y la *rr*.

✓ reconocerás e identificarás las características del texto expositivo.

✓ redactarás un texto expositivo.

✓ presentarás tu texto expositivo.

Ventana al verde

- Reflexiona:

  La contaminación afecta mucho a la agricultura. Varias tierras que antes eran fértiles ya no lo son.

  - ¿De qué manera crees que esto nos afecte? Explica.

Sendas de lectura

No era tan fácil como pensaba

Un campesino y su mujer solían discutir frecuentemente. Según él decía, las tareas del hogar eran pocas y fáciles de hacer y, en cambio, el trabajo del campo era muy duro.

Un día decidieron cambiar sus ocupaciones: la mujer se fue al campo y el marido se quedó en la casa.

—Saca a pastar las ovejas, da de comer a los pollos, prepara la comida y desgrana el maíz —dijo la mujer al campesino antes de irse al campo.

El campesino se puso a trabajar. Primero, sacó el ganado a pastar, pero se le **escabulleron** algunas ovejas y le costó mucho trabajo reunirlas de nuevo. Después, fue al patio y ató los pollos a la pata de una gallina, para que no se le escaparan. Entonces, empezó a preparar la comida.

El campesino recordó que su mujer siempre preparaba la comida, mientras desgranaba el maíz y quiso hacer lo mismo que ella.

• **escabulleron**, de *escabullir*: escapar.

240

"Cuando el maíz esté desgranado, la comida estará lista", pensaba el campesino.

Apenas había comenzado la tarea, cuando oyó el asustado cacareo de la gallina y el **aguzado** pío-pío de los pollitos. Entonces, salió corriendo para ver qué ocurría en el patio y vio a un enorme gavilán que se llevaba volando a la gallina con sus pollitos atados. Y mientras tanto, los cerdos entraron en la casa, tiraron la olla y se comieron el maíz. Viendo tantas desgracias juntas, el hombre no sabía qué hacer. Al cabo de un rato, la mujer regresó del campo y preguntó:

—¿Dónde están los pollos y la gallina?

—Los até para que no se perdieran, pero vino un gavilán y se los llevó.

—¿Y qué hace toda esa comida por el suelo?

—Mientras yo estaba desesperado en el patio, los cerdos entraron en casa, se comieron el maíz y tiraron la olla.

—¡Perfecto! —dijo la mujer—. Yo, en cambio, he hecho tanto como tú cualquier día y, además, llego pronto a casa.

—Es que en el campo se hace una sola cosa, mientras que aquí hay que hacerlo todo a la vez: prepara esto, piensa en aquello, cuida lo otro. ¡No se pueden hacer tantas cosas al mismo tiempo!

—Yo las hago todos los días y las hago bien, así que, no discutamos más. Y no vuelvas a decir que las tareas del hogar son pocas y fáciles de hacer —afirmó la mujer.

León Tolstói
(ruso)
(adaptación)

OTRAS SENDAS...

El tema de los aparecidos nunca puede faltar en las leyendas. Por eso es que en este libro, escrito por el autor puertorriqueño Edgardo Sanabria Santaliz, se narran dos: la historia tras el famoso Pozo de Jacinto, que se encuentra en la playa de Jobos, en Isabela; y el de la aparición de un "hada" en el cementerio del pueblo de Manatí.

• **aguzado**: agudo.

241

Me informo

● Ordena del 1 al 5 las tareas del campesino y sus consecuencias.

Un gavilán se lleva a la gallina y a los pollos.

Saca al ganado a pastar y se le escabullen unas ovejas del rebaño.

Los cerdos entran en la casa, tiran la olla al suelo y se comen el maíz.

Ata los pollos a la pata de una gallina.

Empieza a preparar la comida y a desgranar el maíz a la vez.

Interpreto

● Lee el fragmento. Luego, contesta las siguientes preguntas:

1 ¿Cuál es el problema?

2 ¿De qué forma este fragmento anticipa lo que sucederá?

3 ¿Qué motivó al campesino a hacerlo todo a la vez?

El campesino se puso a trabajar. Primero, sacó el ganado a pastar, pero se le escabulleron algunas ovejas y le costó mucho trabajo reunirlas de nuevo. Después, fue al patio y ató los pollos a la pata de una gallina, para que no se le escaparan. Entonces, empezó a preparar la comida.

El campesino recordó que su mujer siempre preparaba la comida mientras desgranaba el maíz y quiso hacer lo mismo que ella.

"Cuando el maíz esté desgranado, la comida estará lista", pensaba el campesino.

✓ ¿A qué se debía la discusión entre el campesino y su mujer?

✓ ¿Por qué pensaba el campesino que el trabajo de su mujer era más fácil que el suyo?

✓ A la hora de realizar los trabajos de su mujer, ¿qué provocó que todo le saliera mal al campesino?

EVALÚO Y CUESTIONO

☑ ¿Piensas que el campesino hizo bien al juzgar el trabajo de su esposa sin conocer en qué consistía? Explica.

☑ ¿Qué crees que ayudara a la mujer a realizar con éxito las tareas del campesino?

☑ ¿Consideras que el campesino podría haber realizado bien el trabajo, si se hubiera organizado mejor? Explica.

DOY LO MEJOR DE MÍ

Educación no sexista

El papá de Ileana y Damián compró un escritorio nuevo, el cual tiene que armar. Él le pidió ayuda a ambos para armarlo. A Ileana le gustó mucho la idea, pero a Damián le pareció extraña. Les dijo a su papá y a su hermana que ese tipo de actividad era "cosa de hombres", lo cual hizo sentir mal a Ileana.

● Contesta:

• ¿Qué crees que deba decirle el papá a Damián?

Sea niña o niño, puedo hacer cualquier tipo de trabajo.

Ramillete de palabras

La clave de contexto

Nuevo   Responder   Reenviar

Bandeja de entrada

De: benicio@correoverde.com
Fecha: jueves, 25 de marzo de 2010
Para: angela@correoverde.com
Asunto: Varias cosas

Ángela:

Te escribo desde mi nueva dirección electrónica. Tuve que abrir otra **cuenta** porque olvidé la contraseña.

Por cierto, ¿te diste **cuenta** de que ya no venden mantecado de chispitas de chocolate con menta en el supermercado?

En cuanto al proyecto que me propusiste los otros días, me interesa participar en él. ¡**Cuenta** conmigo!

Tu amigo,

Benicio

● Contesta:

a. Las palabras destacadas en el correo electrónico, ¿tienen el mismo significado?

b. ¿Cómo puedes saber el significado de cada palabra?

> En ocasiones, podríamos descifrar el significado de una palabra por el contexto en el que se presenta, y en otras, podríamos necesitar la ayuda del diccionario, según la complejidad del caso.

Hay veces en que, al leer algún texto, vemos palabras que tienen más de un significado y que se usan en diferentes ocasiones. En otros casos, hay palabras cuyos significados desconocemos. Sin embargo, el mismo texto nos da pistas de lo que significan, facilitándonos así el proceso de la lectura. A esto se lo llama **clave de contexto**.

Esta destreza nos permite inferir los significados en un contexto o situación dada. Al estudiar el sentido o contexto de la oración o del párrafo, comprendemos el significado desconocido.

Ejemplos:

✓ *cuenta*

Tuve que abrir otra cuenta porque olvidé la contraseña. → *Aquí la palabra cuenta se refiere a una cuenta de correo electrónico.*

¿Te diste cuenta de que ya no venden mantecado de chispitas de chocolate con menta en el supermercado? → *Se refiere a percatarse de algo.*

¡Cuenta conmigo! → *Del verbo "contar", que en este caso se refiere a confiar en una persona para un fin.*

✓ costó

Al campesino le costó mucho trabajo reunir las ovejas. ➜ Del verbo "costar", se refiere a algo que causa dificultad y mucho esfuerzo.

Ese carro me costó muchísimo dinero. ➜ Del verbo "costar", se refiere a algo que se compra o adquiere por determinado precio.

Como se mencionó anteriormente, hay palabras que no conocemos, pero que, a través del texto, podemos inferir su significado.

Ejemplos:

✓ monótono

El discurso me pareció monótono porque él repitió la misma idea muchas veces. ➜ En este contexto, podemos inferir que la palabra monótono significa aburrido por falta de variedad en el discurso.

✓ escatimó

Mi papá no escatimó en gastos para preparar un gran banquete. ➜ De igual manera, según el contexto, la palabra escatimó del verbo "escatimar" significa dar o utilizar (algo) reduciéndo(lo) todo lo posible.

EN MI LIBRETA...

● Escoge la palabra que sea la más adecuada, según el contexto.

a. Esa película causó una gran **polémica**.
- controversia
- pelea

b. Tengo que luchar por el **sustento** de mi familia.
- alimento
- apoyo

c. El médico le ordenó **diluir** el medicamento en agua.
- cuajar
- disolver

SE DICE ASÍ...

● Escoge el significado correcto de la palabra **cuerda**, en la siguiente oración:
- El campesino utilizó una cuerda para amarrar la bolsa.
a. hilo especial que produce sonido
b. hilo grueso y flexible

El verbo: número, persona y tiempo

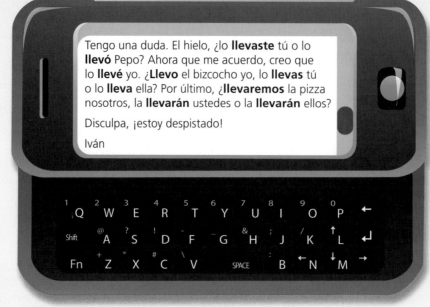

Tengo una duda. El hielo, ¿lo **llevaste** tú o lo **llevó** Pepo? Ahora que me acuerdo, creo que lo **llevé** yo. ¿**Llevo** el bizcocho yo, lo **llevas** tú o lo **lleva** ella? Por último, ¿**llevaremos** la pizza nosotros, la **llevarán** ustedes o la **llevarán** ellos?

Disculpa, ¡estoy despistado!

Iván

● Contesta:

a. ¿Qué clase de palabras se destaca en el mensaje de texto?

b. En cada oración, ¿qué observas en cuanto al número, a la persona y al tiempo del verbo *llevar*? Explica.

Persona	Número	
	Singular	**Plural**
primera	(yo) llevo	(nosotros/nosotras) llevamos
segunda	(tú) llevas	(ustedes) llevan
tercera	(él/ella) lleva	(ellos/ellas) llevan

Tiempo	Definición	Ejemplos
pasado	Acción que ya ocurrió.	*¿Lo **llevaste** tú o lo **llevó** Pepo? Creo que lo **llevé** yo.*
presente	Acción que ocurre ahora.	*¿**Llevo** el bizcocho yo, lo **llevas** tú o lo **lleva** ella?*
futuro	Acción que va a ocurrir.	*¿**Llevaremos** la pizza nosotros, la **llevarán** ustedes o la **llevarán** ellos?*

Las formas verbales nos indican el tiempo, el número y la persona que realiza la acción en la oración.

Las formas no personales del verbo

¡Qué mucho trabajo! ¿Cómo te ha ido? Vi que gran parte de tu terreno ya está **trabajado**.

Pues, ya sabes, lo único que he hecho es **trabajar**. Aunque ya terminé con esa parte, estoy **trabajando** otra. ¡A veces pienso que nunca acabaré!

● Contesta:

a. ¿Qué clasificación tienen las palabras destacadas en la tirilla?

b. ¿Encuentras alguna diferencia entre esas palabras? ¿Cuál?

Las **formas no personales del verbo** pueden desempeñar funciones de sustantivos, adjetivos o adverbios y no expresan acción, sino circunstancias o cualidades. Existen tres formas:

- El **infinitivo**: es un sustantivo y sus terminaciones son *-ar, -er, -ir*. **Ejemplo:** *trabajar* ➞ *se utiliza como nombre o sustantivo.*

- El **gerundio**: indica circunstancias y expresa una acción en desarrollo. Por eso, cumple la función de adverbio. Termina en *-ando, -endo, -iendo*. **Ejemplo:** *trabajando* ➞ *indica una circunstancia.*

- El **participio**: tiene características de un adjetivo, por lo que indica cualidades o estados de un nombre o sustantivo. Sus terminaciones son *-ado, -ido*. **Ejemplo:** *trabajado* ➞ *indica una cualidad o estado.*

247

El verbo: número, persona y tiempo

- Identifica los verbos en las oraciones e indica en qué persona, número y tiempo están.
  - Todas las tardes hago mis asignaciones.
  - Hablaban de las nuevas noticias.
  - Mañana será tu turno.
  - Ariadna inventa un juego.
  - Ustedes leyeron un libro muy divertido.
  - Iremos al teatro el viernes.

Formas no personales del verbo

- Escribe las formas no personales de los siguientes verbos conjugados:

  Ejemplo: *lloró*
  llorar, llorando y llorado

  - camino
  - volaba
  - cantas
  - estuviste
  - pensó
  - cocinaste
  - participé
  - recorro
  - resuelve
  - escribiste

Las formas no personales del verbo no poseen significados gramáticales de persona ni de número ni de tiempo, a diferencia de las formas verbales, que sí los poseen.

TALLER DE GRAMÁTICA

- Pídele a un familiar que te hable sobre algún cumpleaños o fiesta que haya ayudado a organizar. Sigue estos pasos:
  - Escribe las preguntas que le harías a la persona. Puedes preguntarle sobre los preparativos, a quiénes les correspondían las tareas, si surgió algún inconveniente, etc.
  - Mientras te hable la persona, toma notas de lo que te cuente.
  - Al terminar, organiza los sucesos.
  - Luego, escribe uno o dos párrafos que narren lo que te contó esa persona. Recuerda utilizar verbos personales y no personales.

El uso de la r y la rr

©2010 – Editorial La Roca
avda. del Prado 1024
Arroyo, Puerto Rico 00999
Primera edición

Impreso en: Costa Rica.
ISBN: 862-2-70153-422-5

EN MI LIBRETA...

● Completa las palabras en el siguiente párrafo con *r* o *rr*.

El ce_dito de mi p_ima es muy juguetón. Le encanta co_e_ y salta_. Cuando voy a visita_la, el ce_dito viene hasta el ca_o para saluda_me. Él mueve su _abito sin pa_a_. Así me demuest_a que está contento. ¡Cómo quisie_a tene_ una mascota tan aleg_e!

● Contesta:

a. En la página de créditos, ¿qué palabras se escriben con *r*? ¿Cuáles, con *rr*?

b. ¿Se pronuncian igual todas las palabras con *r*?

AHORA SÉ QUE...

La letra **r** tiene dos sonidos:

✓ el sonido suave **r**. Se escribe la **r** cuando va antes o después de una vocal.

Ejemplos: *Del P*r*ado, p*r*imera, imp*r*eso, p*r*ohíbe, pa*r*cial, ob*r*a*

✓ el sonido fuerte **r**, el cual se escribe con **r** o **rr**. Se escribe **r** al principio de la palabra y después de las letras *l, n, s* y *b*.

Ejemplos: *Editorial La R*oca, *r*eproducción, Costa R*ica*

Se escribe **rr** entre dos vocales.

Ejemplo: *A*rr*oyo*

SE ESCRIBE ASÍ...

Al escribir algunas palabras compuestas, también utilizamos la *rr*. Cuando la segunda palabra comienza con *r* en su forma simple, esta se duplica siempre y cuando quede entre vocales y que las dos palabras se escriban juntas.

tapa + rabo ➙ *tapa*rr*abo*
porta + retratos ➙ *porta*rr*e-tratos*

● Busca tres palabras compuestas que contengan *rr*.

La ganadería

Una de las actividades económicas más importantes es la ganadería. Esta se dedica a la crianza de especies animales con el propósito de sacarles provecho monetario. Esto se hace a través de la cría de animales para obtener carne, leche, lana y cuero.

Hay varios tipos de ganadería. La ganadería proveniente de vacas, cerdos, caballos, ovejas y cabras son las más comunes. Sin embargo, en tiempos recientes, la crianza de liebres y otros animales ha aumentado.

Dentro de esta actividad económica, existen dos tipos de explotación: la intensiva y la extensiva. La ganadería intensiva consiste en mecanizar y agilizar los procesos de producción, para obtener más productos en menos tiempo y con menos dinero.

La ganadería extensiva recurre a los métodos tradicionales. En ella, los sistemas convencionales de producción animal forman parte de un ecosistema natural que es modificado por el hombre y está sometido a los ciclos naturales.

Existen varias ventajas y desventajas entre ambas clasificaciones. Sin embargo, hay una gran diferencia que debe destacarse. La ganadería intensiva no es duradera, gasta energía y provoca contaminación; mientras que la extensiva perdura, ahorra energía y ayuda a conservar los ecosistemas agrícolas.

Si bien es cierto que los métodos utilizados para la ganadería provocan debates interminables, es indiscutible su importancia no solo en la economía, sino en el sustento de todas las familias alrededor del mundo.

En el **texto expositivo** se explica un tema en específico, una situación o un procedimiento. En esta clase de texto se presentan ideas de forma breve. Se utilizan definiciones, detalles y ejemplos. Debe incluir una introducción que presente el tema de forma general, un desarrollo que explique cada idea y una conclusión. Debido a que se expone el tema de manera informativa, el texto debe ser objetivo y estar escrito en tercera persona.

Para que el texto expositivo pueda entenderse, el autor del texto debe utilizar cuatro recursos:

- **Definiciones** – funcionan como puntos de partida en el texto.
- **Descripciones** – sirven de apoyo al explicar las partes o funciones de un objeto o fenómeno.
- **Comparaciones** – al hacer comparaciones con otros conceptos, estas ayudan a familiarizar al lector con lo que se expone en el texto.
- **Ejemplos** – son muy útiles al explicar conceptos. Con ellos, se especifica lo que se trata de explicar. De esta forma, el lector tiene la oportunidad de visualizar lo que se expone.

Algunos ejemplos de textos expositivos son los artículos científicos, las enciclopedias, los manuales, las reglas de un juego, etc.

Ahora, lo hago yo

Me organizo

● Escribe un texto expositivo. Sigue estos pasos:

1 Selecciona un tema del cual te gustaría hablar.

2 Busca información sobre el tema.

3 Toma notas de la información que consideres importante y que quisieras incluir en tu texto.

Lo escribo

● Redacta el borrador de tu texto expositivo en tercera persona. Ten en cuenta lo siguiente:

✓ Escribe un párrafo de introducción que presente tu tema.

✓ Redacta uno o dos párrafos de contenido. Incluye definiciones, descripciones, comparaciones y/o ejemplos.

✓ Escribe un ultimo párrafo que sirva de conclusión.

Me corrijo

● Lee atentamente tu texto expositivo y determina si cumpliste con los siguientes criterios:

✓ ¿Tiene introducción, desarrollo y conclusión?

✓ ¿Utilizaste definiciones, descripciones, comparaciones y/o ejemplos para exponer el tema?

✓ ¿Lo redactaste en tercera persona?

✓ ¿Expusiste el tema de manera objetiva?

Espacio de tertulia

Presento mi texto expositivo

¡Me encanta compartir con los demás los temas que me gustan! Cuando me tengo que preparar para exponer un tema, siempre aprendo algo nuevo. Mi más reciente exposición oral trata sobre la ganadería. Lo más emocionante es estar frente a mis compañeros, ya que siento que los ayudaré a aprender cosas nuevas que jamás han imaginado.

Ya hice mi exposición. Ahora, ¡es tu turno!

Preparación

1 Lee y memoriza el texto descriptivo que redactaste.

2 Busca fotos sobre tu tema. También, de ser necesario y para explicarte mejor, haz diagramas u organizadores gráficos que te ayuden a organizar el tema.

3 Prepara de una a dos cartulinas con las fotos y/o diagramas u organizadores gráficos.

Presentación

● Presenta tu texto expositivo mediante una exposición oral. Haz lo siguiente:

✓ Presenta el tema del que hablarás.

✓ Informa tu texto narrativo. Al hacerlo, señala, cuando sea necesario, las fotos o diagramas.

✓ Mantén contacto visual con el público.

Autoevaluación

✓ ¿Utilicé recursos efectivos para acompañar mi exposición oral?   ❏ Lo hice bien.   ❏ Puedo mejorar.

✓ ¿Presenté el tema?   ❏ Lo hice bien.   ❏ Puedo mejorar.

✓ ¿Mantuve contacto visual con mi público?   ❏ Lo hice bien.   ❏ Puedo mejorar.

Punto de encuentro

Enlace con Estudios Sociales

La igualdad de los sexos a través de la Historia

Desde los orígenes de la humanidad, la mujer ha tenido que vencer obstáculos para tener una participación igual a la del hombre en la sociedad. En el pasado, las mujeres solo se dedicaban a cuidar a sus hijos y atender su hogar. Aunque estas funciones contribuyen al origen de cualquier sociedad, la opinión de la mujer no era considerada. No podían estudiar ni trabajar y se las condenaba a las que se oponían al sistema. No obstante, estas rebeliones demostraron la gran inteligencia y la capacidad de la mujer. Desde el siglo XX, en todos los países civilizados se ha reconocido el protagonismo de la mujer en las diversas áreas de la sociedad.

1 Identifica el número, la persona y el tiempo de los verbos. Recuerda que el número se refiere a si el verbo está en singular o en plural; la persona, a si está en primera, segunda o tercera; y el tiempo, a si está en pasado, presente o futuro.

- tuvo
- dedicaban
- reconoce
- podían
- contribuyen
- oponían

2 Identifica los verbos no personales en el texto. Luego, clasifícalos como infinitivo, participio o gerundio.

3 A pesar de que en la actualidad hay mayor aceptación de las mujeres en roles importantes dentro de la sociedad, hay ocasiones en que enfrentan discriminación por ser mujeres. ¿A qué crees que se deba esto? ¿Qué solución o soluciones propones para que eso no siga pasando? Explica.

¡A pensar!

El land art

El *land art* surgió en la década de 1960, en los Estados Unidos. Es un arte contemporáneo que utiliza recursos naturales (madera, roca, arena, tierra) y a la naturaleza misma como lienzo para crear las obras.

El paisajista, quien es la persona que trabaja este arte, escoge elementos naturales como paisajes, espacios abiertos y playas. Luego, interviene con ellos y provoca modificaciones visuales.

Debido a que las obras se realizan en terrenos, muchas son vulnerables a desaparecer rápido. Se les toma fotografías como prueba de su existencia y para exhibirse en museos.

APLICAR

- Contesta:
  - **a.** ¿Cuál es la importancia del terreno para el paisajista, al momento de crear una obra de *land art*?
  - **b.** Define el arte de *land art* en tus propias palabras.
  - **c.** Da ejemplos, además de los que ofrece el texto, de materiales naturales que podrían utilizarse para el *land art*.
  - **d.** ¿Qué elementos de la naturaleza contribuyen al deterioro de una creación artística de *land art*?

ANALIZAR

● Identifica cuáles de los siguientes recursos pueden utilizarse en el *land art*:

SINTETIZAR

● Imagina que eres un paisajista. Haz un diseño de una obra artística de *land art*. Luego, ilústrala e identifica qué recursos utilizarías y en dónde la harías.

Mi ambiente

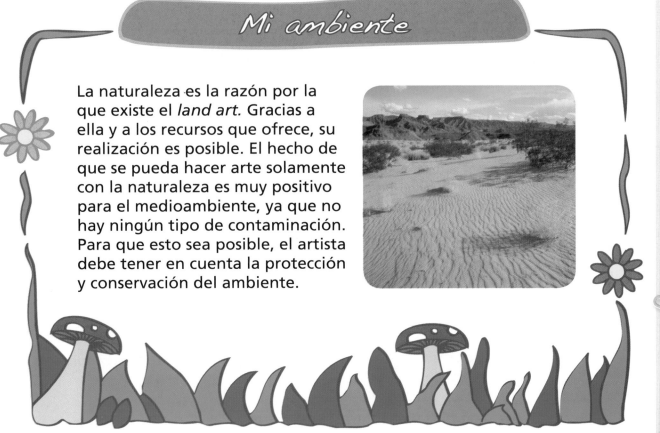

La naturaleza es la razón por la que existe el *land art*. Gracias a ella y a los recursos que ofrece, su realización es posible. El hecho de que se pueda hacer arte solamente con la naturaleza es muy positivo para el medioambiente, ya que no hay ningún tipo de contaminación. Para que esto sea posible, el artista debe tener en cuenta la protección y conservación del ambiente.

Sé que aprendí

1 Lee cada oración e infiere el significado de la palabra destacada, según su clave de contexto. Luego, selecciona un par de oraciones que tengan la misma palabra y haz un dibujo que represente cada una de ellas.

- Solo me queda un **sobre**.
- **Contamos** con tu presencia.
- La **goma** explotó.
- Mi hermana volvió a **pescar** un resfriado.
- La conferencia de hoy es **sobre** la educación.
- Hoy fui a **pescar** con mi papá.
- Necesito una **goma** de borrar.
- **Contamos** todo el dinero que sobró.

2 Identifica si cada verbo está en infinitivo, participio o gerundio. Luego, cámbialo al número, a la persona y al tiempo que se indica.

Ejemplo:
correr: infinitivo
plural, segunda persona, futuro → ustedes correrán

- recogido:
  singular, primera persona, pasado → ______
- cantando:
  plural, tercera persona, presente → ______
- vivir:
  plural, primera persona, pasado → ______
- condenado:
  singular, segunda persona, futuro → ______
- comiendo:
  plural, primera persona, presente → ______
- coser:
  plural, tercera persona, pasado → ______
- leer:
  singular, segunda persona, futuro → ______

3 Identifica las palabras que tienen el sonido suave **r**. Luego, escribe un párrafo con las que no identifiques.

correcaminos

primicia

porcelana

parmesano

rata

feria

residuo

4 Completa el siguiente organizador gráfico sobre el texto expositivo:

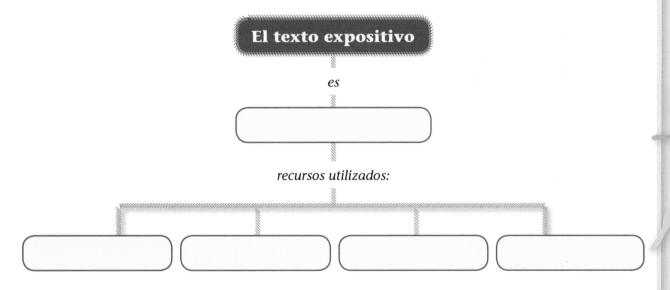

El texto expositivo

es

recursos utilizados:

DIARIO REFLEXIVO

● Contesta:

   a. ¿Para qué sirve la clave de contexto a la hora de leer un texto?

   b. ¿Tuviste alguna confusión con el número, la persona y el tiempo del verbo? Explica.

   c. ¿Qué diferencia al infinitivo, el gerundio y el participio?

   d. ¿Sabes distinguir entre el sonido suave y el sonido fuerte de la *r* al leer las palabras? Explica.

257

¡Viva el idioma español!

¡Vamos a hablar!

- ¿Qué relación hay entre la señora y los dos niños? ¿Cómo lo sabes?

- ¿Qué hacen los niños? ¿Por qué crees que provoquen alegría en la señora?

- ¿Qué harías si alguna vez conocieras a un escritor famoso?

En este capítulo...

✓ podrás inferir analogías.

✓ repasarás los adverbios y conocerás las frases adverbiales.

✓ escribirás correctamente las palabras con la *ch*.

✓ reconocerás las características de la biografía y de la línea cronológica.

✓ crearás una línea cronológica.

✓ presentarás oralmente tu línea cronológica.

Ventana al verde

- Reflexiona:

  Recientemente, ha surgido la poesía ecológica para denunciar la contaminación que amenaza el medioambiente.

  - ¿Crees que esta clase de poesía tendría algún impacto en las personas? ¿Por qué?

Los pájaros que cantan

—Niñas, mañana iremos a casa de Abuela —decía Mami.

—¡Sí! —gritábamos a coro mi hermana Laurita y yo siempre que escuchábamos esas palabras.

Cada vez que iba a casa de Abuela Trina era toda una aventura. Su casa era muy grande y antigua, y encerraba muchas cosas por descubrir. Uno de los cuartos era una gran biblioteca. En ella, había un escritorio de madera oscura. Las paredes estaban forradas de anaqueles **colmados** de libros. Aún puedo recordar su olor.

Siempre nos sentábamos en el balcón. Abuela siempre aparecía con un libro distinto para cada visita y nos contaba cuentos. A veces, nos leía un fragmento de alguna novela. Pero lo que más me gustaba era cuando nos leía poemas.

—¡Abuela, lee un poema bonito! —le pedí en tantas ocasiones.

—Que hable de pajaritos, ¿verdad? —nos decía mientras nos miraba con mucho amor. Luego, nos recitaba un poema muy hermoso de unos pajaritos que cantaban.

• **colmados:** llenos, repletos.

Cada vez que escuchaba ese poema, sentía una emoción que no podía describir. A la vez, se me dibujaba una tímida sonrisa que solo explicaba la belleza de esas palabras.

—¡Abuela, un cuento más, por favor! —le pedía mi hermanita poniendo una carita triste para convencerla.

Abuela siempre nos complacía. Laurita y yo pensábamos que nuestra abuela era la mujer más sabia del mundo. Nos encantaba que nos contara su vida. Siempre nos hablaba sobre su juventud y de sus años en la universidad.

Una de las anécdotas favoritas de la abuela era su encuentro con un poeta español muy famoso.

—Un día salí de la universidad con una amiga —nos dijo—. Decidí acompañarla a visitar a una tía suya que vivía cerca del **recinto**.

—¿Y allí estaba el poeta famoso? —preguntó mi hermanita.

• **recinto:** espacio comprendido dentro de ciertos límites. En este caso, se refiere al espacio que comprende una universidad.

—Sí, allí estaba —dijo con ternura mi abuela—. Era su vecino.

—Y, ¿qué le dijiste, Abuela? ¿Qué te dijo? —le pregunté emocionada.

—Lo saludé y le dije que lo admiraba —contestó Abuela Trina con nostalgia—. También le dije que conocía su obra.

La abuela nos contó lo importante que era el poeta. Nos relató que él tuvo que salir de España y que se trasladó a los Estados Unidos. Luego, vivió en Cuba. Después de eso, vivió sus últimos años en Puerto Rico.

—Saben, en sus años en Puerto Rico se hizo amigo de poetas puertorriqueños y los alentó para que continuaran sus obras —nos dijo Abuela Trina.

—Entonces fue muy importante en Puerto Rico, ¿verdad, Abuela? —le preguntó Laurita.

—Sí, gracias a él, hubo un **resurgir** de la poesía en Puerto Rico —le contestó muy emocionada.

Cuando nuestra abuela hablaba del poeta, sus ojos se llenaban de lágrimas.

—Oye, Maité, cuando lo conocí hablamos de tu poema favorito —me dijo la abuela—: el poema de los pajaritos.

Laurita y yo nos emocionamos tanto como si hubiésemos estado allí con él.

—¿Qué le dijiste, Abuela, qué le dijiste? —pregunté como si en esa interrogante se encontraran todas las respuestas del universo.

—Le dije que "Canción de Invierno" me parecía hermoso, y que siempre que lo leía me hacía llorar de emoción —me contestó Abuela.

Con esa respuesta, supe que ella y yo éramos muy parecidas. Ambas compartíamos el mismo sentimiento al escuchar un poema. En ese instante, decidí que estudiaría Literatura, al igual que ella.

• **resurgir:** volver a aparecer.

Esa noche, no pude dejar de pensar en la historia de la abuela. Estaba tan emocionada, que no podía dormir. Cuando, al fin, pude dormirme, tuve el mejor sueño que he tenido en mi vida.

Había una gran pradera llena de flores. Yo estaba sentada a la sombra de un árbol y leía un libro de poesía. Varios pajaritos revoloteaban en el árbol, mientras cantaban armoniosamente.

—¿Qué haces aquí tan solita? —me preguntó un señor de barbas blancas.

—Estoy leyendo poesía.

—A mí también me gusta la poesía —me dijo—. Cualquier momento es bueno para escribir un poema.

—¿Escribe poesía? —le pregunté emocionada—. Yo quisiera escribir un poema.

—Entonces, ayúdame a terminar el que estoy haciendo —me dijo—. Escribo sobre pájaros.

—¡Me fascinan los pajaritos! —le dije entusiasmada—. Me encantaría ayudarlo.

—Bueno, mi poema se titula "Canción de Invierno" —dijo el hombre—, pero aún no logro terminarlo.

En ese momento, mi corazón dio un salto. ¡No podía creerlo! Se trataba del mismo poeta famoso que conoció mi abuela, ¡y yo lo ayudaría a terminar mi poema favorito!

—"Yo no sé dónde cantan los pájaros, cantan cantan, los pájaros que cantan" —le dije, recitando la última estrofa del poema que me leía mi abuela y que tanto me gustaba.

—¡Excelente! —exclamó—. Jamás se me hubiese ocurrido un mejor final para mi poema.

Yo lo miré y sonreí. Entonces, comenzó a caminar, alejándose en la gran pradera.

Desperté de mi gran sueño muy conmovida. Nunca le conté a nadie sobre él. Pero cada vez que lo recordaba, una enorme sonrisa se dibujaba en mi cara.

Ya no soy una niña, pero aún recuerdo lo bien que lo pasábamos con nuestra abuela. Sobre todo ayer, sus anécdotas se presentaron en mi memoria.

—¿Adivina a dónde iré mañana con mi grupo? —le dije anoche a Laurita.

—No tengo idea. ¡Dime tú! —respondió ella.

—¡Mi grupo hará una excursión a la Universidad de Puerto Rico en Río Piedras! —le dije con mucho entusiasmo.

—¡La U.P.R.! —exclamó Laurita—. Allí estudió Abuela, ¿verdad, Maité?

—¡Sí! —le contesté con un orgullo inmenso.

En ese instante, las dos sonreímos. Estoy segura de que Laurita, al igual que yo, comenzó a recordar nuestras vivencias con Abuela. ¡Cómo la extrañábamos!

Hoy es el gran día. Salimos en la tradicional guagua amarilla rumbo a la universidad. Todo el grupo iba cantando, hablando y riendo.

Mis amigas se dieron cuenta de que yo estaba ansiosa.

—¿Qué tienes? ¿Por qué estás tan nerviosa? —me preguntó mi amiga Leticia.

—Mi abuela estudió en la U.P.R. —les respondí—. Desde niña, decidí que estudiaría en la misma universidad.

Era la primera vez que visitaba la universidad. Tan pronto puse un pie en el recinto, sentí que mi corazón quería estallar de la emoción. Estaba caminando por los mismos caminos y pasillos que recorrió mi abuela una y otra vez cuando era joven. No podía dejar de imaginarla riendo con sus amigas, mientras caminaba por la universidad a la que tanto cariño le tenía.

Cuando entramos en la biblioteca José M. Lázaro, vi una sala llamada Zenobia y Juan Ramón Jiménez. Entonces, comencé a reír. ¡Y es que él era el poeta famoso!

—¿Estás loca? ¿De qué te ríes? —me preguntó sorprendida Leticia.

—¡Es el poeta que conoció mi abuela! —respondí.

Juan Ramón Jiménez era el que tantas veces mencionaba mi abuela. El "mejor poeta de la poesía pura". El mismo Juan Ramón Jiménez de mi sueño. La sala llevaba el nombre de ese gran escritor y de su esposa.

En esa sala están la mayoría de sus libros, documentos y muebles. Él mismo los donó en agradecimiento a la Universidad de Puerto Rico, ya que él dio clases allí. También se encuentran el pergamino y la medalla del Premio Nobel de Literatura que recibió en 1956.

El resto del viaje, mis amigas y yo conversamos sobre su vida y obra. También hablamos sobre el día en que mi abuela lo conoció.

Esa noche, volví a ser una niña sentada bajo un árbol en una gran pradera llena de flores. Y este sueño, tampoco se lo contaré a nadie.

Jessenia Pagán Marrero
(puertorriqueña)

OTRAS SENDAS...

Rufino es un pescador que se bate con tiburones en duelos cuerpo a cuerpo. Cuando llega un enviado del rey de España a Puerto Rico, lo invitan para que le haga una demostración de su valentía, pero Rufino ha perdido su escapulario de la Virgen del Carmen, y no quiere enfrentarse sin él a los tiburones. En la segunda leyenda, cuatro amigos, todos de nombre Juan, hacen una apuesta un tanto atrevida, que tendrá consecuencias nefastas.

● Completa la siguiente ficha de lectura:

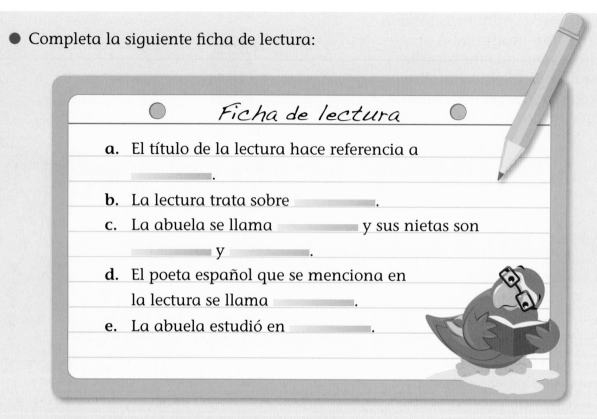

Ficha de lectura

a. El título de la lectura hace referencia a ▭.

b. La lectura trata sobre ▭.

c. La abuela se llama ▭ y sus nietas son ▭ y ▭.

d. El poeta español que se menciona en la lectura se llama ▭.

e. La abuela estudió en ▭.

● Lee el fragmento. Luego, contesta las siguientes preguntas:

1 ¿Qué sentimientos tiene la narradora hacia su Abuela Trina?

2 ¿Cómo describirías al personaje de Abuela Trina?

3 Además de ser abuela y nieta, ¿qué otra cosa tienen en común la abuela y la narradora?

Cada vez que iba a casa de Abuela Trina era toda una aventura. Su casa era muy grande y antigua, y encerraba muchas cosas por descubrir. Uno de los cuartos era una gran biblioteca. En ella, había un escritorio de madera oscura. Las paredes estaban forradas de anaqueles colmados de libros. Aún puedo recordar su olor.

Siempre nos sentábamos en el balcón. Abuela siempre aparecía con un libro distinto para cada visita y nos contaba cuentos. A veces, nos leía un fragmento de alguna novela. Pero lo que más me gustaba era cuando nos leía poemas.

Examino

✓ ¿Por qué sentía la Abuela Trina tanta nostalgia al hablar de su pasado y del poeta Juan Ramón Jiménez?

✓ ¿Cómo influenció el poeta en las vidas de Abuela Trina y Maité?

✓ ¿Por qué crees que Maité soñara con Juan Ramón Jiménez?

EVALÚO Y CUESTIONO

☑ ¿Crees que la literatura puede influenciar y cambiar la vida de una persona? Explica.

☑ ¿Por qué se interesaba tanto la Abuela Trina en leerles a sus nietas?

☑ ¿Crees que Maité se habría interesado en estudiar Literatura si su abuela no le hubiera leído poemas, cuentos y novelas? Explica.

DOY LO MEJOR DE MÍ

Educación ambiental

Alejandro fue junto a sus compañeros de clase a una gira a la universidad. Mientras caminaban por las áreas exteriores del recinto, Alejandro se comía un chocolate y se tomaba un jugo. Al terminar, lo echó todo al suelo y no, en un zafacón. Esto extrañó mucho a algunos estudiantes, ya que, cuando él está en la escuela, siempre bota la basura en los zafacones.

● Contesta:

• ¿Por qué no bota Alejandro la basura en el zafacón cuando está fuera de la escuela?

No importa donde esté, la basura siempre botaré.

Las analogías

Voy a necesitar un **pincel** nuevo para poder terminar mi **pintura**.

Y yo necesitaré unas **tijeras** para poder terminar los **vestidos** a tiempo.

● Contesta:

a. ¿Qué relación se establece entre pincel y pintura? ¿Y entre tijeras y vestido? Explica.

b. ¿Son equivalentes ambas parejas de palabras? ¿Por qué?

En las analogías, se utilizan algunos signos de puntuación para representarlas. Los dos puntos (:) significan "es a", mientras que los cuatro puntos (::) significan "como".

La **analogía** es una relación de equivalencia entre dos parejas de palabras. Para encontrar una analogía, podemos determinar la relación que existe entre la primera pareja de palabras. Luego, se aplica esa relación a la segunda pareja de palabras.

Existen muchos tipos de relaciones de palabras o analogías. Una de las clases de analogía es **causa: efecto**. En esta relación, se establece un antecedente (origen) y un consecuente (consecuencia) de un hecho.

Ejemplos:

✓ *golpe: dolor :: chiste: risa*

Golpe es a dolor, como chiste es a risa. El golpe causa el dolor, mientras que el chiste provoca la risa.

También, estas relaciones pueden darse en forma invertida. En vez de causa: efecto, puede haber **efecto: causa**. En este último caso, se presenta, primero, el consecuente (consecuencia) y, luego, el antecedente (origen).

Ejemplos:

✓ *destrucción: guerra :: herida: accidente*

Destrucción es a guerra como herida es a accidente.

La destrucción es consecuencia de la guerra, mientras que la herida es consecuencia del accidente.

Otra clase de analogía es la de **especie: género**, en la cual se dice que una especie pertenece o se incluye a un género.

Ejemplos:

✓ *martillo: herramienta :: ratón: roedor*

Martillo es a herramienta, como ratón es a roedor.

El martillo es una especie que pertenece al género de la herramienta, mientras que el ratón pertenece al género de los roedores.

De igual manera, la forma invertida de la relación especie: género sería **género: especie**. En esta, se presenta, primero, el género y, luego, la especie perteneciente o incluyente de ese género.

Ejemplos:

✓ *persona: niño :: animal: ratón*

Una persona y un animal son géneros, mientras que el niño y el animal son especies.

EN MI LIBRETA...

● Determina qué tipo de analogía se usa en cada pareja de palabras.

- mamífero: delfín
- sol: calor
- moneda: peseta
- prenda: sortija
- ejercicio: salud
- destrucción: huracán
- página: libro
- calor: sudor
- paloma: ave
- curación: medicina
- alimento: arroz

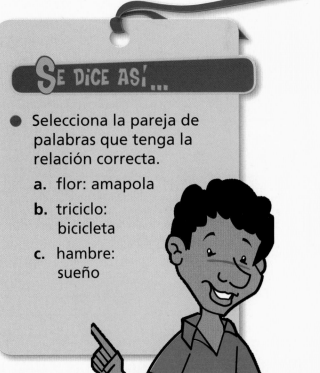

SE DICE ASÍ...

● Selecciona la pareja de palabras que tenga la relación correcta.

a. flor: amapola

b. triciclo: bicicleta

c. hambre: sueño

El adverbio

Querida Abuelita:

¡Saludos! **Hoy** visité junto a mi clase la Universidad de Puerto Rico en Río Piedras. ¡Lo pasamos **muy bien**! **Allí** hay muchos árboles y edificios, los cuales visitamos. También vimos la Torre. ¡**Nunca** imaginé que fuera tan alta!
Quizá haya otras universidades bonitas, ¡pero ninguna es como la UPR!
Luego te contaré más sobre la gira, cuando vaya a verte la próxima semana.

Tu nieto,

Horacio

SAN JUAN, PR
MAR 26
ø45 PM
75006

Valentina Nieves
#130 Calle Turquesa
Urb. Jardines de Rosas
San Juan, Puerto Rico 00917

● Contesta:

a. ¿Qué nos indica cada una de las palabras destacadas en la tarjeta postal?

b. ¿A qué palabra modifican en cada caso?

Los adverbios	
lugar	aquí, ahí, allí, cerca, lejos, adentro, afuera…
modo	bien, mal, despacio, de prisa y los adverbios que se forman al añadir la terminación –*mente* a algunos adjetivos (*Ejemplos: rápido, rápidamente; dulce, dulcemente*)…
tiempo	antes, luego, temprano, mañana, hoy, ayer, entonces, luego…
cantidad	mucho, poco, muy, casi, más, menos, bastante, demasiado…
duda	quizá, acaso, tal vez, posiblemente…
afirmación	sí, seguramente, también…
negación	no, nunca, tampoco, jamás…

Los adverbios son palabras que expresan circunstancias en las cuales se realiza la acción verbal.

Las frases adverbiales

✉ Sara Robledo <sara84@correoverde.com>	⬓⊞⊠

Archivo	Edición	Ver	Insertar	Formato	Herramientas	Acciones

Para...	Georgina Falcón <gfalcon@correoverde.com
CC...	
Asunto:	Posible visita

Georgina:
A lo mejor paso mañana por tu casa. **De pronto** se me ocurrió que como mañana tengo el día libre, podemos aprovechar y sacar la mala hierba del patio. ¿Qué crees?
A propósito, ¿cómo están tus padres? Mándales saludos de mi parte.
Por cierto, ¿**por casualidad** tienes un molde de bizcocho que me puedas prestar? Tengo que hacer un bizcocho para el cumpleaños de Clarita, pero perdí mi molde en la mudanza.
¡Hasta luego!
Sara

● Contesta:

a. ¿Qué función crees que tienen las palabras destacadas en el correo electrónico?

b. ¿A qué palabra modifican en cada oración?

Las frases adverbiales

son

conjuntos de palabras que equivalen, por su significado, a un adverbio.

ejemplos

sin duda, con seguridad, a propósito, de golpe, a menudo, a lo mejor, de pronto, por casualidad, a diario, etc.

Las frases adverbiales se usan con mucha frecuencia en nuestro hablar cotidiano. Con ellas, se puede reforzar la intención que expresa el emisor.

En mi libreta...

El adverbio

● Señala el adverbio en las siguientes oraciones. Luego, escribe el verbo que modifica.

- Casi no llego a tiempo.
- Ha llovido mucho en estos días.
- Seguramente, iré a Francia este año.
- Tal vez, prepare pollo asado para la cena.
- Caminé lentamente por la vereda.
- Después de todo, mañana será otro día.
- René tampoco vendrá hoy.

Las frases adverbiales

● Identifica las frases adverbiales que aparezcan en cada oración.

- A veces, los vecinos madrugan.
- De pronto, se escuchó una voz misteriosa.
- A diario, miles de estudiantes asisten a clases.
- Por casualidad pasé por tu casa y vi que le cambiaste las ventanas.
- Sin duda, esta es la mejor novela que he leído.
- A lo mejor, esa no fue su intención.

Ya sabes que las frases adverbiales, al igual que los adverbios, modifican al verbo, pero la diferencia es que las frases adverbiales se componen de dos palabras o más.

Taller de Gramática

● Únete a un compañero para escribir un diálogo. Sigan estos pasos:

- Imaginen una breve historia de suspenso. Debe tener personajes, inicio, desarrollo y desenlace.
- Escriban un borrador con todo lo que pasará en ella. Al hacerlo, utilicen adverbios y frases adverbiales que refuercen la intención que desean expresar.
- Pasen en limpio su historia.
- Léanla frente a sus compañeros.

Cuaderno págs. 96-99

Espigas y palabras

¿Quieres darle vida a tu pelo?

Champú Chá Chá Chá es el único **champú hecho** con **ocho** hierbas y flores directamente desde **China**

Champú Chá Chá Chá

Tu cabello bailará el **chá chá chá.**

● Contesta:

• ¿Qué letra en común tienen todas las palabras destacadas en el anuncio?

AHORA SÉ QUE...

La *ch*:

✓ es la cuarta letra y tercera consonante del alfabeto español.

✓ se la conoce por el nombre femenino de la *che*, y su plural es *ches*.

✓ se escribe al comienzo de una palabra o entre vocales.

Ejemplo: *champú, China, hecho, ocho*

✓ nunca se separa al dividir las palabras en sílabas.

EN MI LIBRETA...

1 Busca cinco palabras que empiecen con *ch* y cinco palabras en las que la *ch* esté entre vocales.

2 Divide las siguientes palabras en sílabas.

• chaqueta
• champiñón
• revancha
• lechuga
• muchacho
• fachada
• chayote
• cheque

SE ESCRIBE ASÍ...

Cuando empezamos una oración con una palabra que comienza con *ch*, solo la *c* se escribe en mayúscula. La misma regla se sigue cuando escribimos nombres propios que comienzan con *ch*.

Chico, me gustaría viajar a Chile con Chelo.

● Escribe cinco oraciones cuya primera palabra empiece con *ch*.

Vida y obra de Juan Ramón Jiménez

- 1881 - El 23 de diciembre nace Juan Ramón Jiménez Mantecón en Moguer, España.

- 1896 - Se traslada a Sevilla y publica su primer trabajo, titulado *Andén*.

- 1900 - Se desplaza a Madrid. Publica *Ninfeas y Almas de Violeta*.

- 1905 - Sufre una recaída de salud. Vuelve a Moguer y pasa temporadas en su finca. Pasea por el campo y se inspira para su futura obra "Platero y yo".

- 1913 - Juan Ramón conoce a Zenobia, quien luego sería su esposa.

- 1915 - Se publica la primera edición de *Platero y yo*.

- 1916 - Se casa con Zenobia en Nueva York.

- 1936 - Viven en Nueva York, Puerto Rico, La Habana y Florida. Juan Ramón escribe, da conferencias y clases en la Universidad de Puerto Rico, Recinto de Río Piedras.

- 1951 - Se instalan en Puerto Rico.

- 1955 - La Universidad de Puerto Rico cede a los Jiménez una sala que pasará a denominarse Sala Zenobia-Juan Ramón Jiménez.

- 1956 - El 25 de octubre, la Academia sueca otorga a Juan Ramón Jiménez el Premio Nobel de Literatura. Tres días después, falleció Zenobia.

- 1958 - El 29 de mayo, muere Juan Ramón Jiménez en Puerto Rico, dejando un legado cultural de mucho valor y una gran contribución al idioma español.

La vida de una persona se puede narrar a través de una **biografía**. Esta narración debe incluir detalles sobre las etapas de desarrollo de la persona, sus cualidades y sus logros. También, debe contener algunas oraciones que indiquen la importancia de esa persona y sus contribuciones a la sociedad.

Para representar los puntos más importantes de una biografía, se utiliza la **línea cronológica**. Esta es una representación gráfica de sucesos, acontecimientos históricos o hechos ordenados cronológicamente. Se representa con una línea recta en la que se ordenan los años en que ocurrieron los acontecimientos. En ella, se utiliza el año como unidad de medida. Los acontecimietos se señalan con puntos, flechas o rayas. Una manera de organizar la información antes de representarla gráficamente es hacer una lista de los acontecimientos año por año.

Ahora, lo hago yo

Me organizo

● Redacta una breve línea cronológica. Sigue estos pasos:

1 Selecciona un escritor o una escritora que te llame la atención.

2 Busca información sobre él o ella.

3 Toma nota de los acontecimientos y los trabajos más importantes de esa persona.

Lo escribo

● Redacta el borrador de tu línea cronológica. Ten en cuenta lo siguiente:

✓ Coloca los datos en orden cronológico, desde el más antiguo hasta el más reciente.

✓ Traza una línea recta horizontal. Acomoda en ella cada año con el dato biográfico que le corresponda.

Me corrijo

● Lee atentamente tu línea cronológica y determina si cumpliste con los siguientes criterios:

✓ ¿Seleccionaste los datos biográficos más importantes?

✓ ¿Colocaste los datos en una línea horizontal?

✓ ¿Seguiste un orden cronológico?

Espacio de tertulia

Presento la línea cronológica

Una de las experiencias más fascinantes es conocer la vida de alguna persona que haya transformado el mundo a través de su vocación. Tuve esa oportunidad, gracias a la línea cronológica que hice sobre la vida y obra de Juan Ramón Jiménez. ¡Aprendí muchísimo sobre él! Con su obra, contribuyó grandemente al reconocimiento del idioma español.

Ahora me preparo para presentarla frente a mis compañeros. Aunque me siento un poco nervioso porque este es mi último informe del año escolar, sé que todo saldrá bien. ¡Deséenme suerte!

Preparación

1 En una cartulina, escribe la línea cronológica que hiciste.

2 Utiliza fotos o dibujos relacionados con los datos que acompañen cada año.

3 Lee en voz alta y repasa varias veces la línea cronológica. Trata de memorizarla.

Presentación

● Presenta la línea cronológica a tus compañeros. Haz lo siguiente:

✓ Presenta el escritor o la escritora sobre el cual o la cual hablarás.

✓ Menciona cada dato junto a su año y de forma cronológica.

✓ Mantén contacto visual con tus compañeros.

Autoevaluación

✓ ¿Utilicé dibujos y/o fotos para acompañar los datos biográficos? ❏ Lo hice bien. ❏ Puedo mejorar.

✓ ¿Presenté el escritor o la escritora del cual o de la cual iba a hablar? ❏ Lo hice bien. ❏ Puedo mejorar.

✓ ¿Presenté los datos en orden cronológico? ❏ Lo hice bien. ❏ Puedo mejorar.

✓ ¿Mantuve contacto visual con mis compañeros? ❏ Lo hice bien. ❏ Puedo mejorar.

276

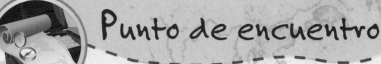

Punto de encuentro

El teatro medieval español

Al comienzo de la Edad Media, la idea de lo que era el teatro se había olvidado. No fue hasta finales de esta época y durante el Renacimiento cuando el teatro volvió a ser la representación de un texto dramático. En España, el teatro medieval tuvo su origen en la celebración de las fiestas religiosas. Más adelante, surgen el teatro profano popular y el cortesano. El profano popular se hacía en plazas públicas y trataba temas no religiosos. El cortesano se hacía en palacios y la nobleza participaba en él. En ambos se utilizaban el canto, la narración, la danza, escenas de juegos, música y vestimenta colorida.

1 Identifica los adverbios en las siguientes oraciones:

- Seguramente, te gustará el teatro medieval español.
- En el teatro medieval español se usaba mucho la danza.
- Luego, surgen el teatro profano popular y el cortesano.

2 Identifica cuáles de las oraciones tienen frases adverbiales.

- El teatro medieval, sin duda, ha influenciado a todas las generaciones de actores y dramaturgos.
- A muchos les gusta el teatro.
- Si hubiera vivido en la Edad Media, a lo mejor habría participado en el teatro cortesano.

3 Repasa las características del teatro español medieval y compáralas con las obras de teatro que hayas visto. ¿Crees que la forma de hacer teatro en la actualidad ha cambiado desde la Edad Media? Explica con ejemplos.

¡A pensar!

El cartel publicitario

El cartel publicitario es un medio de comunicación gráfica. Tiene el propósito de comunicar algún mensaje publicitario, político o de promover valores. Para lograrlo, se utiliza un texto breve y una imagen simple, pero impactante, que capte la atención del público. El cartel necesita claridad tanto en la imagen como en el texto, y debe mostrar una relación entre ambos. Además, presentar elementos estéticos. Todo esto debe estar presentado de forma original.

COMPRENDER

● Selecciona cuál es la alternativa correcta.

a. El cartel publicitario es:
- • un medio de comunicación gráfica.
- • un medio puramente escrito.
- • no necesita claridad.

b. El cartel publicitario tiene el propósito de comunicar:
- • solamente mensajes políticos.
- • direcciones.
- • algún mensaje publicitario, político o de promoción valores.

c. El texto en el cartel publicitario debe ser:
- • bastante extenso.
- • breve.
- • complicado.

APLICAR

- Examina y discute los siguientes datos sobre el cartel publicitario:

  - No tiene que capturar la atención del público.

  - Debe ser complicado, para que las personas descifren el mensaje que quiere comunicar.

  - No puede haber relación entre el texto y la imagen.

  - La originalidad no hace falta a la hora de crear un cartel publicitario.

ANALIZAR

- Lee la siguiente situación. Luego, argumenta.

  Marcos y Lisa quieren participar en un concurso anual de carteles publicitarios sobre el reciclaje. Un día, buscaron por Internet carteles de otros países para inspirarse. Vieron uno que les gustó mucho y decidieron copiarse de él para ganar el concurso. ¿Crees que Marcos y Lisa cumplieran con el requisito de originalidad que requiere un cartel publicitario? Explica.

Mi ambiente

El cartel publicitario es una excelente forma de promover la conservación ambiental. A través de él, se puede transmitir el mensaje ecológico de forma masiva. Debido a sus características en cuanto a texto e imágenes impactantes y originales, se logra difundir y capturar la atención de muchos. De esta forma y poco a poco, se puede concienciar a los seres humanos para que cuiden el medioambiente.

Siembra un árbol. Salva tu planeta.

Sé que aprendí

1 Completa el siguiente organizador gráfico sobre las analogías:

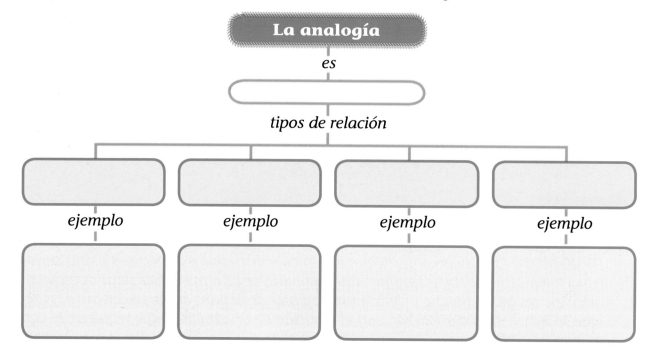

La analogía

es

tipos de relación

| ejemplo | ejemplo | ejemplo | ejemplo |

2 Identifica los adverbios que están en el libro. Luego, selecciona cinco de ellos y redacta un párrafo sobre el tema del capítulo.

dos

poco

ayer

cerca

tercero

bonito

tampoco

posiblemente

jamás

diecinueve

delicado

afuera

demasiado

suavemente

acaso

3 Completa las oraciones con la frase adverbial que les corresponda. Luego, crea una viñeta en la cual utilices las cuatro frases adverbiales.

> de pronto   a diario   por casualidad   a lo mejor

a. _____ iré a la fiesta el sábado.

b. _____, vino una brisa y se llevó mi sombrero.

c. ¿_____ tienes un bolígrafo que me puedas prestar?

d. Acostumbro ir a la biblioteca _____.

4 Dibuja los siguientes objetos y escribe las reglas de la *ch* dentro de cada uno de ellos:

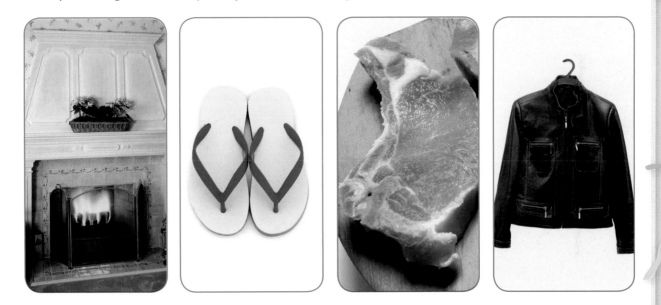

DiARiO REFLEXiVO

● Contesta:

a. ¿Qué utilidad tienen las analogías dentro de la comunicación?

b. ¿Tuviste dificultades en identificar los adverbios y las frases adverbiales? ¿Por qué?

c. De todas las lecturas del libro, ¿cuál fue tu favorita? ¿Por qué?

d. De todos los temas del libro, ¿cuáles te gustaron más y cuáles te gustaron menos? ¿Por qué?

Fideicomiso de Conservación de Puerto Rico

Reserva Natural Hacienda La Esperanza

- El Fideicomiso y la conservación del ambiente

- Valor ecológico de la hacienda
  - ✓ arrecifes
  - ✓ dunas
  - ✓ colinas cársticas
  - ✓ bosques
  - ✓ estuarios
  - ✓ mangles
  - ✓ humedales
  - ✓ playas

¿Para qué conservarla?

En 1975, el Fideicomiso de Conservación de Puerto Rico adquirió los terrenos de la Hacienda La Esperanza, con el fin de conservarlos a perpetuidad. El interés del Fideicomiso en la hacienda se debe, en gran medida, su valor histórico por ser un ejemplo de la historia de la caña de azúcar en la Isla y la maquinaria de vapor del siglo diecinueve. Sin embargo, el peso más grande del interés en la conservación de la hacienda radica en su valor ecológico.

En las costas de la Reserva Natural Hacienda La Esperanza podemos encontrar arrecifes de coral que, debido al fuerte oleaje de esa zona, se encuentran en colonias o comunidades de poca extensión. Estos pueden observarse en áreas protegidas del fuerte oleaje, por las dunas cementadas, y en las áreas de mayor profundidad. A su vez, la protección y conservación de las dunas han permitido el desarrollo de vegetación en ellas.

La Reserva Natural cuenta, además, con colinas cársticas, un bosque de *Pterocarpus* y un bosque húmedo costero siempre verde. Las colinas cársticas se encuentran en medio del valle, y los bosques de *Pterocarpus* se localizan cerca de los manantiales en la base de las colinas.

La Hacienda La Esperanza cuenta, también, con dos diferentes estuarios: el del río Grande de Manatí, cuyo recorrido comienza en el municipio de Barranquitas, y el del río del Caño La Boquilla, cuyas aguas provienen de los manantiales de aguas subterráneas que nacen en el interior de la reserva. En este último estuario es donde se encuentra el área de manglar más extensa de toda la reserva. Respecto a los manglares, la Hacienda La Esperanza posee tres especies de mangle que existen en Puerto Rico: el mangle rojo, el mangle botón y el mangle blanco.

En esta reserva puedes observar tres tipos de humedales: de agua dulce, de agua salobre y de agua salada. Los humedales de agua dulce se nutren de los manantiales que emanan de los cerros calizos. Por su parte, los humedales de agua salobre se encuentran en las faldas de los cerros y en la costa, mientras que los de agua salada se encuentran próximos a la costa y a los manglares. Estos humedales albergan aves como patos, garzas y golondrinas.

Por último, las playas que se observan a lo largo de la Reserva son de gran belleza, con formas y composiciones variadas, de acuerdo con su localización. A la playa Machuca, por ejemplo, la caracterizan su arena color oscuro, producto de su cercanía a la desembocadura del río Grande de Manatí, por la cual fluyen minerales de magnetita.

Sabías que...

La reconstrucción y rehabilitación de la casona, en la Hacienda La Esperanza, y la restauración del trapiche de vapor ha tomado varios años. En el proceso de restauración, se emplearon personas de las comunidades cercanas, adiestradas en técnicas de restauración como encalado, machihembrado de madera, rayos de Júpiter y la construcción de espigas.

Contenido

Destrezas de comprensión lectora	Educación cívica y ética	Conexión curricular	Destrezas de pensamiento	Enlace ambiental
Desarrollar destrezas de lectura en los distintos niveles de complejidad: literal (información de contenido), comprensión (interpretación), análisis (examen del contenido), evaluación crítica (evaluación y cuestionamiento).	Educación para la salud	Ciencias	Comprender, aplicar, analizar	El uso del cloruro de plata en la fotografía
Desarrollar destrezas de lectura en los distintos niveles de complejidad: literal (información de contenido), comprensión (interpretación), análisis (examen del contenido), evaluación crítica (evaluación y cuestionamiento).	Educación moral y cívica	Tecnología	Analizar, sintetizar, evaluar	El uso de fibra vegetal celulosa en la fabricación del papel
Desarrollar destrezas de lectura en los distintos niveles de complejidad: literal (información de contenido), comprensión (interpretación), análisis (examen del contenido), evaluación crítica (evaluación y cuestionamiento).	Educación moral y cívica	Estudios Sociales	Aplicar, analizar, evaluar	El uso de los animales en las artes del cuero
Desarrollar destrezas de lectura en los distintos niveles de complejidad: literal (información de contenido), comprensión (interpretación), análisis (examen del contenido), evaluación crítica (evaluación y cuestionamiento).	Educación ambiental	Ciencias	Aplicar, analizar, sintetizar	El uso de las plantas en la cestería
Desarrollar destrezas de lectura en los distintos niveles de complejidad: literal (información de contenido), comprensión (interpretación), análisis (examen del contenido), evaluación crítica (evaluación y cuestionamiento).	Educación moral y cívica	Matemáticas	Comprender, aplicar, analizar	El uso de la naturaleza como escenario en el cine
Desarrollar destrezas de lectura en los distintos niveles de complejidad: literal (información de contenido), comprensión (interpretación), análisis (examen del contenido), evaluación crítica (evaluación y cuestionamiento).	Educación moral y cívica	Educación Física	Aplicar, analizar, sintetizar	El uso de papel con menos contaminantes, para el diseño gráfico
Desarrollar destrezas de lectura en los distintos niveles de complejidad: literal (información de contenido), comprensión (interpretación), análisis (examen del contenido), evaluación crítica (evaluación y cuestionamiento).	Educación ambiental	Tecnología	Analizar, conocer, evaluar	El uso de los árboles para el arte de cultivar el bonsái
Desarrollar destrezas de lectura en los distintos niveles de complejidad: literal (información de contenido), comprensión (interpretación), análisis (examen del contenido), evaluación crítica (evaluación y cuestionamiento).	Educación multicultural	Estudios Sociales	Conocer, aplicar, analizar	El uso de minerales para la elaboración de vitrales
Desarrollar destrezas de lectura en los distintos niveles de complejidad: literal (información de contenido), comprensión (interpretación), análisis (examen del contenido), evaluación crítica (evaluación y cuestionamiento).	Educación para la paz	Bellas Artes	Aplicar, analizar, sintetizar	El uso del oro en la orfebrería
Desarrollar destrezas de lectura en los distintos niveles de complejidad: literal (información de contenido), comprensión (interpretación), análisis (examen del contenido), evaluación crítica (evaluación y cuestionamiento).	Educación moral y cívica	Bellas Artes	Conocer, analizar, evaluar	El uso de metal y madera para la confección de timbales
Desarrollar destrezas de lectura en los distintos niveles de complejidad: literal (información de contenido), comprensión (interpretación), análisis (examen del contenido), evaluación crítica (evaluación y cuestionamiento).	Educación no sexista	Estudios Sociales	Aplicar, analizar, sintetizar	El uso de la tierra y el medioambiente para el land art
Desarrollar destrezas de lectura en los distintos niveles de complejidad: literal (información de contenido), comprensión (interpretación), análisis (examen del contenido), evaluación crítica (evaluación y cuestionamiento).	Educación ambiental	Bellas Artes	Comprender, aplicar, analizar	El uso del cartel publicitario como medio para promover la conservación del ambiente

La serie Yabisí presenta en su contenido una serie de usos lingüísticos que responden a las más recientes disposiciones de la Real Academia de la Lengua Española (RAE), según se han publicado en el *Diccionario panhispánico de dudas* (2005). A continuación, presentamos algunas de estas disposiciones:

1. **Pronombres demostrativos**

   Los pronombres demostrativos (*este, ese, aquel* y sus respectivos femeninos y plurales) no se acentúan, excepto en caso de ambigüedad.

2. **Adverbio solo**

   El adverbio *solo* (solamente) no se acentúa, a no ser que haya riesgo de confusión, lo cual es muy poco frecuente. Ejemplo de ambigüedad: *Juan vino solo al baile.* En esta oración, *solo* podría significar dos cosas: *sin compañía o solamente.* Si el significado es el segundo, llevará tilde.

3. **Leísmo**

   Los pronombres *la, las, los* y *lo* funcionan como complementos directos. Por tal razón, no se pueden sustituir por los pronombres *le* o *les*, cuya función sintáctica es de complemento indirecto, excepto *le* cuando se refiera a persona masculina singular. Ejemplos: *A este uso incorrecto se lo conoce como leísmo,* en lugar de *A este uso incorrecto se le conoce como leísmo.*

4. **Abecedario**

   La *ch* y la *ll* son letras del abecedario español, según lo ha establecido la Real Academia desde 1803. Sin embargo, a partir de 1994, se determinó utilizar el orden alfabético latino universal, en el que la *ch* y la *ll* no se reconocen como letras independientes. Por lo tanto, las palabras que comienzan con dichas letras se ubican, en el diccionario, en el orden correspondiente dentro de la *c* y la *l*. Esta reforma solo afecta la ordenación alfabética de las palabras; no, la composición del abecedario, del que las letras *ch* y *ll* siguen formando parte.

5. **Monosílabos**

   Se consideran monosílabos y, por tanto, no llevan tilde, algunas de las palabras que antes, por razones fonéticas, se consideraban bisílabos. Ejemplos: *crie, crio, fie, fio, flui, frio, guie, guio, hui, lie, lio, pie, pio, rio, guion, ruan, truhan.*

6. **Nombres de países**

   En los nombres de algunos países se deben utilizar los artículos *el, la, los* o *las* como, por ejemplo: *el Ecuador, el Reino Unido, el Brasil, la China, la República Dominicana, la Argentina, las Bahamas, los Estados Unidos, el Perú, el Paraguay, el Uruguay*, entre otros.

7. **Verbos agudos con pronombre enclítico**

   Estos verbos, que antes mantenían la tilde, ahora se someterán a la regla general. Al convertirse en palabras llanas que terminan en vocal, no se acentuarán. Ejemplos: *llevose, mirola, callose, dele.*

8. **Mayúsculas y minúsculas**

   - Los nombres comunes, cuando designan seres o realidades únicas y su función principal es la identificativa, van en mayúsculas. Por ejemplo: *A Mamá le gustan las rosas. Le dije a Papá que iría al cine.*

   - Los nombres comunes que acompañan los nombres propios geográficos se escribirán con letra minúscula, como, por ejemplo: *ciudad de México, río Bayamón, mar Negro, océano Atlántico.*

   - Los títulos o cargos se escribirán con letra minúscula cuando aparezcan junto al nombre del lugar o ámbito correspondiente. Ejemplos: *presidente de Guatemala, secretario de Hacienda.*

La realización gráfica estuvo a cargo del siguiente equipo:

Directora de arte:
Karys M. Acosta Marrero

Montaje:
Yashira De Santiago Domenech
Elsa L. Santiago Díaz

Ilustraciones:
Dulce Guzmán
Ruddy Núñez
Nívea Ortiz

Diseño de portada:
José M. Ramos Colón

Producción:
Luis D. Santos Coss

Jefa de documentación:
Taira M. Rivera Veguilla

Documentación:
Joel Alfaro Hernández
Josué Rivera Belaval
Brendaliz Román Cardona

Digitalización y retoque:
Michelle M. Colón Ortiz

Fotografías:
Archivo Santillana Puerto Rico, España y México; David Martínez,
William Hernández; Fideicomiso de Conservación Puerto Rico;
www.shutterstock.com; Library of Congress, John Krupsky; y www.
sxc.hu

©2009 – Ediciones Santillana, Inc.
avda. Roosevelt 1506
Guaynabo, PR 00968
www.santillanapr.com
PRODUCIDO EN PUERTO RICO

Impreso en: México
Impreso por: Editorial Impresora Apolo, S.A. de C.V.
ISBN: 978-1-60484-461-0